Y0-AGJ-620

LA SOURICIÈRE

DU MÊME AUTEUR

DANS CETTE COLLECTION :

ÉCOUTEZ LA MER, roman.
LA MULE ET LE CORBILLARD.

MARIE CARDINAL

LA SOURICIÈRE

roman

JULLIARD

La loi du 11 mars 1957 n'autorisant, aux termes des alinéas 2 et 3 de l'article 41, d'une part, que les « copies ou reproductions strictement réservées à l'usage privé du copiste et non destinées à une utilisation collective » et, d'autre part, que les analyses et les courtes citations dans un but d'exemple et d'illustration, « toute représentation ou reproduction intégrale, ou partielle, faite sans le consentement de l'auteur ou de ses ayants droit ou ayants cause, est illicite » (alinéa 1er de l'article 40).

Cette représentation ou reproduction, par quelque procédé que ce soit, constituerait donc une contrefaçon sanctionnée par les articles 425 et suivants du Code pénal.

© René Julliard, 1965

IBSN 2-266-00649-5

Los Angeles, le 3 juin 1965.

Chère amie,

J'apprends par une lettre de Claude, à qui vous avez prêté votre manuscrit, que vous publierez bientôt (sous quel titre?) l'histoire d'Anne et, par conséquent, les histoires d'Anne avec moi. Claude me dit que vous avez changé le nom d'Anne en celui de Camille, me réservant le privilège de conserver mon prénom. Je n'y vois pas d'inconvénient : la figure, les actes, le prénom de chacun appartiennent à tout le monde et vous vous êtes engagée sur cette voie mystérieuse qui joint le réel à l'imaginaire où je ne retrouverai, sans doute, ni Anne, ni la Provence, ni les années de Paris, ni moi-même, tels qu'ils ont été pour moi et qui se déforment chaque jour, insensiblement, dans ma pensée.

Je ne veux donc pas vous donner mon point de vue — aussi bien votre livre doit-il être maintenant sous presse —, mais vous dire que je suis anxieux de savoir comment, vous penchant sur la vie, le destin d'Anne, vous vous êtes représenté ses rapports avec moi, la cause de nos échecs, leur conclusion.

Je n'ai guère eu l'occasion de vous connaître, mais je sais que, pendant mon premier séjour aux Etats-Unis, vous avez vu Anne assez régulièrement puisque vous travailliez dans le même bureau et que vous étiez en quelque sorte sa confidente. Vous m'apporterez, peut-être, un élément qui me manque... Mais vous êtes une romancière et dans quelle mesure l'histoire d'Anne telle que vous la raconterez sera-t-elle fidèle à ce qu'Anne elle-même aura pu vous dire?

Je ne sais pourquoi la seule idée que vous écriviez un roman sur ce sujet me donne le vertige : où est la vérité des choses et des gens? Et si cette vérité pouvait être indubitablement révélée, à quoi servirait-elle puisque la représentation que chacun peut s'en faire varie au gré des lieux, du temps, de l'humeur?

Vous devez savoir que je n'ai d'attirance ni pour le passé ni pour l'avenir, mais j'attends de votre livre une confrontation — dont je sens déjà la brûlure — entre votre regard actuel sur Anne et celui, qu'aujourd'hui, des années de vie en commun m'ont fait poser sur elle. Cela ne résoudra sans doute aucune énigme et n'agrandira pas le cercle restreint dans lequel la condition humaine nous confine : bornes du temps, de l'espace, de la pensée, des sens. Cela renforcera même, s'il se peut, cette position ponctuelle à laquelle je me sens de plus en plus lié, comme étant la seule qui échappe à l'emprise de la mort... A moins qu'il ne me manque un autre sens au nom trop grave ou trop simple pour que je sache le reconnaître et qui ferait de l'éternité un présent inépuisable. Existe-t-il pour tous? Pourquoi en serais-je privé?

Vous voyez que je fais un mauvais raisonneur. Cela suffit, j'attends votre livre. Merci.

François.

Paris, le 10 juin 1965.

Cher ami,

Votre lettre m'a effrayée : ai-je le droit de publier l'histoire d'Anne? En effet, je ne connais qu'Anne, je ne vous connais qu'à travers elle (est-ce pour cette raison que je n'ai pu changer votre prénom?) et comme c'est de votre couple qu'il sagira pendant tout le livre, comment puis-je en parler sans connaître les deux comparses?

Voici ma position : j'ai été passionnée par ce que j'ai appris de la bouche même d'Anne et c'est cela que j'ai rapporté. Elle m'a parlé de ce qui la touchait le plus, de ce qu'elle gardait dans sa mémoire, de ce qui était entré définitivement dans sa vie pour la transformer. Ces souvenirs relatent de longues périodes de plusieurs mois, des heures et parfois, simplement quelques détails : de brefs instants, des mots. Evidemment elle ne m'a pas raconté sa vie jour après jour, elle ne m'a donné que ce qui lui paraissait important. J'ai transcrit ces récits, je les ai interprétés. Il y a des blancs et c'est peut-être dans ces blancs que se situe votre vie à vous. C'est de Camille (ou d'Anne!) que je me suis occupée, pas de vous.

Pourquoi publier cette histoire incomplète? Parce qu'elle est le reflet exact d'une femme, de son expérience. C'est de cette femme et de son expérience que j'ai voulu parler. Vous pourrez dire que cette histoire est fausse, que celle que vous connaissez ne se ramène pas uniquement aux points dont il est fait mention dans mon texte, qu'il y a des périodes inexpliquées dans mon exposé. C'est votre point de vue (on ne fera jamais croire à une personne que les choses étaient autrement qu'elle les a vues et ressenties) et je ne doute pas que, considérée sous un autre angle, l'histoire que je raconte ne soit fausse. Cependant je vous assure que pour Camille et pour moi elle est vraie.

Peut-être ce livre vous fera-t-il mieux comprendre Anne et vous-même. Peut-être verrez-vous mieux ce qui se trame dans le silence (ou le mensonge) d'un couple. Peut-être comprendrez-vous mieux l'incroyable importance de chaque acte et, par conséquent, la responsabilité que l'on prend en décidant de vivre avec quelqu'un.

En écrivant ce livre, je n'ai jamais pensé à votre réaction en le lisant (il y aurait eu, dans ce cas, des « fignolages », que je refuse absolument). J'affirme que l'histoire que je raconte avec ses accélérations, ses lenteurs, ses hachures, est la véritable histoire d'Anne. C'est tout.

Vous voyez que je suis convaincue de l'authenticité de ce que j'ai fait.

Veuillez croire à ma meilleure pensée.

Marie.

I

LE soleil, en déclinant, répandait une lumière jaune sur les champs de vigne, les haies de roseaux et les collines coiffées de pins maritimes.

La terrasse de la maison était plantée de figuiers et de néfliers sous lesquels régnait une ombre à l'odeur poivrée et vivante. La servante, vers 4 heures, à l'aide du vieil arrosoir, avait entremêlé des huit dans la poussière fine de la terre battue. Chaque gouttelette avait ouvert dans le sol de petites portes d'où émanait une forte senteur.

Les ouvriers rentraient des champs, ils grimpaient lentement les raidillons caillouteux qui viennent de la vallée.

Camille prenait son thé : d'une main elle portait la tasse à sa bouche et, de l'autre, elle tenait la soucoupe sous son menton. Elle regardait fixement, à travers l'ogive formée par les branches de deux arbres, les collines rougissantes où les cigales allaient bientôt se taire, laissant aux grillons le théâtre entier. Elle connaissait si bien ce paysage que la moindre transformation aurait réveillé sa curiosité; comme rien ne s'était passé, elle n'y prêtait pas attention. Dans le jardin, qu'elle ne pouvait pas voir car il était situé en contre-bas de la terrasse, on arrosait. Elle entendait l'eau qui courait, entraînant gentiment avec elle les cailloux qui se heurtaient avec des sons creux. Le jasmin et les belles-de-nuit qui poussaient près de la maison exhalaient un parfum indispensable à cette heure et à la rêverie de Camille.

Sa mère, assise près d'elle, était une Provençale à la large poitrine, aux cheveux grisonnants, aux yeux vifs et bons.

« Tu as changé depuis cet hiver, ma fille, tu n'es plus aussi gaie qu'avant.

— C'et vrai. J'attends quelque chose, mais je ne sais pas quoi.

— Tu vas avoir dix-huit ans.

— Irons-nous à Avignon cet hiver?

— Non, nous n'irons pas, nous n'en avons pas les moyens. Mais, toi, tu peux y aller pour poursuivre tes études.

— Je n'y tiens pas. Je ne saurais pas vivre sans vous. »

Dans le ciel, qui devenait plus sombre vers l'est, stagnaient des nuages blancs. Les belles-de-nuit avaient ouvert leurs corolles rouges, jaunes et violettes. Les grenadiers qui cachaient l'entrée de la cuisine ployaient sous les fruits mûrissants.

« Peut-être que cela me manque de ne plus faire la classe aux petits. Jean travaille bien. Papa en serait fier. Quand il aura dix ans il faudra le mettre au lycée d'Avignon.

— Tu as bien passé ton baccalauréat avec les cours par correspondance. Pourquoi pas lui?

— C'est un garçon, il doit sortir d'ici.

— Tu as raison ma grande fille, tu es raisonnable. »

Sans se concerter les deux femmes s'étaient levées. La mère entourait de son bras la taille de sa fille : c'était l'heure de la promenade. On descendait quelques marches moussues et on se retrouvait au pied de la terrasse dans un chemin envahi par les lauriers-roses qui menait au jardin et à la garrigue où poussaient des chênes et des oliviers rabougris. On allait voir les citronniers, les plants de tomates, le carré de zinnias, la bordure d'œillets sauvages. Camille et sa mère aimaient les plantes.

Les deux femmes cheminaient lentement, elles s'arrêtaient parfois pour sentir une fleur, relever une branche lourde, ou simplement pour contempler leur monde odorant. La mère emmenait avec elle son mari mort et ses enfants vivants; elle les voyait évoluer à ses côtés dans le passé ou dans le futur. La fille traînait un fardeau de choses vagues qui n'avaient ni noms ni visages et l'attiraient ailleurs, dans un univers fait de mouvements différents et multiples, de cavaliers tournoyants, de contacts indéfinissables et moites.

Les enfants étaient dans la garrigue près du grand cyprès noir et tout chargé, à cette époque, de boules vertes et grises aux formes anciennes et sauvages. En voyant arriver leur mère et leur sœur ils se mirent à crier.

Ils parlaient avec excitation de la cabane qu'ils construisaient depuis des mois et qui prenait appui sur deux oliviers et sur le cyprès. Il y avait des planches qui allaient de branche en branche et des échelles raides pour y accéder.

« Camille! tu peux monter, viens, on voit toute la vallée. »

En effet, de là-haut, la vue était belle. Camille, installée sur une plate-forme, les jambes pendant dans le vide, grignotait un biscuit offert par la plus jeune de ses sœurs. Dire qu'il y a un an encore elle s'amusait avec eux! Pourquoi ne trouvait-elle plus distrayant de courir sur la colline en faisant s'envoler devant elle les petites sauterelles aux ailes roses et orange, ouvertes comme des éventails? Elle était lourde maintenant, subitement, elle ne connaissait pas la nature de ce poids.

« Camille, nous rentrons, il va être l'heure de dîner.

— J'arrive. Il faut qu'ils se lavent, on dirait des Indiens.

— Camille, tu nous finiras l'histoire que tu as commencée hier?

— Oui, à condition que vous vous teniez bien à table. »

Ils se mirent en marche. Quand elle avait, ainsi, une petite main glissée dans chacune des siennes, elle se sentait heureuse, elle caressait un peu les jeunes peaux éraflées et elle avait envie de prendre les enfants dans ses bras et de les bercer tendrement. Aurait-elle des enfants? Cette pensée la gênait.

Après le dîner, et une fois les petits couchés, Camille et sa mère retournaient sur la terrasse. Elles portaient avec elles une vieille lampe à pétrole qu'elles posaient sur la balustrade afin d'attirer loin d'elles les bestioles du soir tournoyant de plus en plus nombreuses autour de la lumière qui tremblotait. C'était un moment paisible fait de silences et de murmures. De la cuisine parvenaient des bruits de vaisselle et d'argenterie que l'on lave, ainsi que certaines exclamations des servantes, parfois un enfant pleurnichait dans une des chambres du haut et puis tout se calmait. Les grenouilles du bassin coassaient, les grillons faisaient aller leurs petites crécelles, les tarentes se rapprochaient en rampant de la lampe, elles gobaient au passage les moustiques et les éphémères virevoltants.

Les deux femmes parlaient d'études, de conserves, de réparations à faire dans la maison.

« Sais-tu que les Dubreuil viendront passer tout l'été? Ils ont écrit à Maria pour lui demander d'ouvrir leur maison. Il y a longtemps que nous ne les avons pas vus, cela va les changer de Paris. Ici nous sommes au calme. Leur fils les accompagnera. Te rappelles-tu quand il venait vous faire jouer? Ton père l'aimait beaucoup.

— Oui, je me rappelle, il était très bon.

— Et puis, qui sait, ils nous conduiront peut-être à la mer avec leur voiture!

— Peut-être. Cela me fera plaisir de les revoir. »

La nuit s'était bien installée. Les étoiles rendaient aux gens et aux choses leurs mystères. On savait que les plaines célestes, qui les séparaient les unes des autres, se calculaient en millions et en milliards de kilomètres. Camille frissonna et mit son châle blanc sur ses épaules.

« Il est l'heure d'aller se coucher, ma fille. »

Elles soufflèrent la lampe, s'embrassèrent et se séparèrent.

Camille avait fait installer une douche dans son cabinet de toilette. Elle aimait bien, la nuit venue, se mettre nue sous cette pluie qui ne tombait que pour elle. L'eau s'accrochait à ses seins nouveaux comme s'accrochent les gouttes de rosée sur les feuilles des capucines. Ses nuits étaient mauvaises, elle se tournait, se retournait dans son lit, elle avait trop chaud, elle se levait, le contact de ses pieds nus sur le carrelage de sa chambre lui était agréable, elle regardait par la fenêtre, elle voyait le feuillage immobile de la terrasse, le ciel de la nuit et les contours sombres des montagnes à l'horizon. Tout cela ne la satisfaisait pas. Mais que pouvait-elle donc chercher? Était-elle consciente de chercher quelque chose?

La fraîcheur de l'aurore la faisait dormir.

Les jours passaient calmement, avec leurs occupations campagnardes, avec les jeux des enfants, dans la douceur et la tendresse d'une famille unie.

Camille, un jour, à l'heure du thé, se mit à

pleurer à gros sanglots. Sa mère n'en revenait pas.

« Ma fille, ma toute petite, ma grande, ma Camille, ma belle Camille.

— Non, pas belle, je ne suis pas belle.

— Mais si, tu es belle ma Camille.

— Cela m'est égal d'être belle ou de ne l'être pas.

— Mais, pourquoi pleures-tu?

— Je ne sais pas. Il y a des mois que j'ai la gorge serrée. Maintenant que je pleure, je me sens mieux. Ne t'inquiète pas, maman, ce n'est rien.

— Je vais faire venir le médecin.

— Mais non, je t'assure que je n'ai rien.

— Confie-toi à moi ma toute petite.

— Je n'ai rien à te confier, je ne te cache rien.

— Alors, c'est l'adolescence, c'est un moment à passer. »

Elle regarda sa fille avec tendresse et la caressa comme on caresse un bébé. Camille laissa aller sa tête sur la bonne poitrine de sa mère et pleura encore plus.

Mme Chaumont devint inquiète : elle parlait davantage, elle faisait le projet d'aller vivre à Avignon, ou, tout au moins, d'y passer l'hiver. Elle redoutait cette saison morte, elle se disait que Camille ne la supporterait pas. Camille, elle, s'efforçait de rassurer sa mère, et l'effort qu'elle faisait pour y parvenir semblait l'épuiser. Le reste du temps elle demeurait muette et essayait de cacher son désarroi. Elle restait dans sa chambre à lire ou bien elle partait avec les petits et s'installait dans l'ombre dentelée d'un olivier. Elle les regardait courir, mais l'odeur du thym et de la menthe sauvage, les disputes incessantes des enfants lui étaient insupportables.

Un soir en rentrant de la garrigue elle avait trouvé Mme Chaumont qui venait à leur rencontre.

« Demain, je ne veux pas de désordre, ils n'iront pas à la cabane. Les Dubreuil viennent passer l'après-midi et je ne veux pas que les enfants ressemblent à des sauvages.

— Maman, laisse-les aller, ils ne s'amuseront pas avec nous et ils nous gêneront.

— Nous verrons. De toute manière, ils ne partiront qu'après avoir dit bonjour.

— Est-ce qu'on aura du goûter?

— A condition de vous tenir bien et de rester propres jusque-là. Cela va te faire du travail ma grande. Ce sont des gens âgés, mais ils sont aimables, cela te changera un peu.

— Je resterai avec toi. Je suis très heureuse de les revoir.

Sans les montagnes, on aurait pu voir la mer depuis la terrasse des Chaumont. En général on n'y pensait pas, mais aujourd'hui cela s'imposait tant la brise était gaie. Il y avait vraiment quelque chose de marin dans l'air.

Les préparatifs excitaient les enfants : les visiteurs étaient rares. A 2 heures, tout était prêt : la jolie nappe de dentelle, l'argenterie éblouissante et l'odeur de pâtisserie qui venait de la cuisine. Mme Chaumont s'énervait :

« Après le goûter, vous irez vous amuser. Vous essayerez de manger convenablement... Madeleine, fais attention en t'asseyant, tu froisses ta robe. »

Camille avait les joues roses comme sa robe qui laissait voir ses beaux bras ronds.

« Alice, tes tresses se défont, viens ici que je les refasse. »

Les cheveux de la petite fille coulaient dans les mains de Camille, ils étaient doux et tièdes comme un chat, leur contact était agréable.

« Où est Jean?

— Il est en haut de la côte, il les guette.

— Il ne faudrait tout de même pas que ces gens croient...

— Que veux-tu qu'ils croient?

— Je ne sais pas... Il ne faut pas être indiscret. »

Des hirondelles, que l'on voyait à travers le feuillage des figuiers, tournaient très haut dans le ciel. Les grandes portes-fenêtres du salon étaient ouvertes. Comme les volets de la façade sud étaient restés clos, on pouvait voir, à l'intérieur, des meubles anciens striés de larges raies incandescentes. L'odeur de l'encaustique arrivait jusque sous les arbres.

« Maman, y aura-t-il assez d'orangeade?

— Certainement. Et puis, s'il en manque, on en fera d'autre, il y a des oranges plein la resserre.

— Oui, mais elle ne sera pas fraîche.

— Ne t'inquiète pas Camille, ne t'inquiète pas.

— Enfin les voilà. »

On entend le bruit d'un moteur en haut de la côte, au croisement avec la route nationale, et puis plus rien.

« Ils ont dû s'arrêter pour embrasser Jean.

— Il se tiendra certainement bien. Il est toujours intimidé par les inconnus.

— Ils vont le faire monter dans la voiture. »

Le moteur se remet en marche et bientôt on aperçoit l'auto qui roule lentement dans l'allée bordée de lauriers-roses et de pins maritimes. Sous la pression des pneus, les graviers de l'entrée font un bruit de papier froissé. Jean saute le premier et va ouvrir la portière de Mme Dubreuil. Camille le voit faire et pense : « Où a-t-il appris cela? » Les Dubreuil sont là : les parents et le fils. Mme Chaumont pousse de petits cris.

« Je ne m'attendais pas à voir François! Comme c'est gentil à lui d'être venu.

— Mais c'est un plaisir pour moi, Madame, de vous retrouver tous.

— Vous avez vu Jean! Vous devez le trouver bien grandi.

— En effet, ce n'était qu'un bébé.

— Et reconnaissez-vous Camille?

— Mon Dieu, mais c'est une jeune fille! Je n'en reviens pas. »

Tous rient, heureux, même Camille qui est rouge comme un coquelicot.

« Et Alice et Madeleine.

— Quelle belle famille! »

Les Dubreuil s'extasient, s'étonnent, s'émerveillent. Mme Chaumont exhibe fièrement ce qu'elle a de plus cher : ses filles vêtues d'organdi et son fils aux genoux écorchés.

Tout le monde s'installe sur la terrasse.

« Vous vous êtes dérangées, ce n'est pas bien.

— Mais pas du tout, nous sommes si contentes d'avoir des visiteurs. Cela ne nous arrive jamais.

— Que votre vue est belle. J'avais oublié la beauté de l'endroit. Quelle chance vous avez de vivre là toute l'année. Paris, vous savez... C'est bien, mais c'est vraiment autre chose. »

François Dubreuil n'était ni grand ni petit, ni gros ni maigre. On ne faisait attention qu'à ses yeux calmes et clairs. Il aimait l'étude et y avait consacré toute sa vie. Il enseignait les lettres dans un lycée de la banlieue parisienne. Un jour, il serait professeur dans une université.

Mme Chaumont l'interrogeait :

« Mais où passiez-vous vos vacances? On ne vous voyait plus depuis des années!

— J'allais à l'étranger. J'ai beaucoup voyagé. »

Mme Dubreuil dit :

« Il a fait comme Ulysse. »

Et Mme Chaumont d'enchaîner :

« Heureux qui, comme Ulysse, a fait un long voyage... »

Et tout le monde de sourire.

François se mit à parler de l'Afrique et du

Moyen-Orient. Camille versait le thé. Les cigales chantaient moins fort.

M. Dubreuil sort de sa rêverie pour demander :

« Camille est-elle toujours aussi douée pour le piano?

— Je n'en joue plus jamais. Je ne sais pas pourquoi. Je ne trouve plus de satisfactions à le faire. »

Mme Chaumont repose sa tasse et dit :

« Camille change en ce moment, elle est souvent triste.

— Triste. »

Mme Dubreuil avait lancé ce mot avec un air étonné.

« Oh! Maman, voyons.

— Pourquoi ne pas dire la vérité. Je pense qu'elle s'ennuie ici. Elle manque de distractions.

— Ce n'est pas cela, j'ai mille choses à faire. Maman s'inquiète pour un rien.

— Eh bien moi, dit François, je pense que Mme Chaumont a raison. Il faut que les enfants s'amusent. J'ai l'intention d'emmener tous les petits Chaumont à la mer. Cela vous plairait-il Camille?

— Oui. J'aime la plage. »

On était au plus chaud des vacances. Tous les matins François Dubreuil venait chercher les enfants Chaumont et les conduisait à la plage. Camille emportait un grand panier à provisions. Pendant le voyage d'aller François posait des questions sur le menu du déjeuner. Chaque jour il fallait lui faire une surprise : ce n'était pas facile. On traversait des villages pleins de touristes puis on entrait dans une ferme appartenant à de vieux amis des Chaumont, et, là, on prenait un chemin de terre, à travers les vignes poussiéreuses, et on arrivait dans une pinède où l'on rangeait la voiture à l'ombre. Il n'y avait plus qu'à courir à travers les dunes herbeuses pour découvrir la plage puis la mer.

Camille et François faisaient nager les petits. Ils construisaient pour eux de grands château de sable. Ils couraient dans l'eau, entraînant entre eux Jean et Alice qui hurlaient de joie.

Vers 2 heures, on remontait à la voiture pour le déjeuner. Le sable des dunes tremblait de chaleur. La mer était couverte de minuscules vagues pointues. Camille étendait une grande nappe claire sur les aiguilles de pin et disposait ensuite les assiettes, les timbales, les œufs durs... Tout le monde attendait en silence la surprise de François : un gâteau, une daube en gelée, quelquefois simplement les premières figues mûres du jardin.

Après le repas Camille rangeait tout, François prenait un livre, Jean s'allongeait sur le siège arrière de l'auto, les filles papotaient à l'ombre d'un pin et finalement s'assoupissaient. On entendait la mer et parfois les cris des mouettes.

Lorsque tout était en ordre et que les enfants dormaient, Camille et François parlaient. Au début Camille était intimidée : François avait trente-trois ans et il était professeur. Elle le trouvait bon et simple, elle aurait aimé qu'il fût son père ou son frère, enfin, ce qu'elle aurait voulu c'est qu'il y eût un lien entre eux pour pouvoir communiquer avec lui. François peu habitué aux enfants parlait à voix basse de crainte de troubler leur sommeil. Camille faisait comme lui. Elle aimait ce moment et un jour elle se rendit compte qu'elle ne pourrait plus se passer de la présence de François.

François avait respecté, admiré et même aimé M. Chaumont. Dans cette campagne tout imprégnée du souvenir de son maître, il ne pouvait s'empêcher de rôder du côté de chez lui. Pour trouver quoi? Peut-être la sagesse heureuse, la force, que cet homme avait dû semer là. Il organisa donc les baignades quotidiennes et il y prit goût; les enfants étaient à la fois gais, braves et réfléchis.

Très rapidement, il se rendit compte que Camille n'était plus une petite fille. Il parlait longuement avec elle, pensant l'aider à devenir plus facilement une adulte. Elle comprenait vite et bien, elle savait écouter. Il la voyait chaque jour plus confiante, plus curieuse et il en ressentait du plaisir et même de la fierté. Il croyait savoir ce que M. Chaumont aurait voulu que fût sa fille et il agissait dans ce sens.

Camille portait un vieux maillot de bain qui avait dû appartenir à sa mère. Ce vêtement n'avait pas de formes et flottait autour du corps de la jeune fille. Un jour qu'elle parlait à François des études qu'elle aimerait faire et pourquoi elle aimerait les faire, elle était si emportée par ses pensées que, se glissant à plat ventre sur le sable pour se rapprocher de son interlocuteur, elle tira, sans s'en rendre compte, sur le vieux tissu trop lâche qui découvrit presque complètement deux gros seins ronds et durs aux bouts à peine rosés. François en fut troublé; sa première réaction avait été d'avertir Camille de ce désordre mais il n'osa pas le faire. Alors il s'étendit lui-même à plat ventre, la nuque face au ciel et au soleil. Il ne savait pas s'il en voulait à Camille de n'être plus seulement l'élève docile qu'il désirait former. Il savait seulement que, dorénavant, il la regarderait différemment. Il transpirait. Elle continuait à parler. Il imaginait ses beaux seins nus qui reposaient innocemment sur le sable.

François avait connu des filles, des femmes, aucune d'elles ne l'avait vraiment retenu. Il les aimait bien, mais il n'avait pas le temps de s'en occuper.

Les seins de Camille l'avaient troublé. C'était normal : ils étaient beaux et n'importe quel homme en aurait été troublé. Depuis ce jour il avait eu envie d'elle. Cela aussi était normal; ce qui ne l'était plus c'était la crainte que Camille lui inspirait maintenant : crainte de la décevoir, crainte de profiter d'une situation facile, crainte de sa jeunesse.

Elle était toujours près de lui. Il regardait évoluer cette femme de quelques jours. Il s'émerveillait de son esprit ouvert, avide de connaître, de son corps tout neuf sur lequel la fatigue n'avait pas de prises. Il se sentait vieux, laid, bête.

Il se disait qu'il se trompait : l'attention de Camille n'était peut-être rien d'autre qu'une simple attention. Peut-être écoutait-elle n'importe qui de la même manière. Il ne la connaissait pas. Il s'égarait. Un jour il pensait : Camille est amoureuse de moi. Le lendemain il se disait qu'il n'y avait aucune raison pour qu'elle le fût. Et même, en admettant cela, avait-il le droit d'emmener avec lui une si jeune femme? Saurait-il la rendre heureuse, la faire vivre, lui apprendre tout ce qu'elle voulait savoir?

Il passait ses journées à l'épier, à la guetter, à s'interroger lui-même.

Les semaines s'écoulèrent et bientôt la lumière devint plus franche, la chaleur moins intense : c'était la fin de l'été. Françoise prit une décision : « Je vais lui parler. »

Ce jour-là, après le déjeuner, il décida de l'emmener faire une promenade dans la petite forêt de pins à l'orée de laquelle ils prenaient leur repas. Ils marchèrent côte à côte et lorsqu'ils furent assez éloignés, il prit la main de Camille.

A l'instant où François prit sa main, Camille baissa le visage tant elle avait peur que se voient son affolement et son amour. Il était si gentil pour elle, il se conduisait toujours comme un grand frère prévenant. Elle risquait de le choquer en affichant toute cette passion qui était en elle.

Elle regardait donc obstinément le bout de

ses espadrilles noires qui se posaient sur le sol où poussaient des touffes de thym et de courts buissons fleuris de corolles jaunâtres. L'ombre des pins devenait plus épaisse car ils étaient parvenus dans une sorte de petite vallée sablonneuse où la chaleur semblait s'être accumulée. Camille sentait qu'elle rougissait, qu'elle transpirait. Elle dit en soufflant : « Il fait chaud. » Aussitôt ces mots sortis de sa bouche, elle aurait voulu les retenir : dire une bêtise pareille à un moment pareil!

François serra plus fort la main de Camille jusqu'à ce que leurs deux paumes se touchent complètement.

Dans le fond du vallon se trouvait une plaque de sable fin, ils s'assirent là. Camille regarda le sol et essaya d'y enfoncer sa main libre mais ses doigts rencontrèrent de fines racines entremêlées. Alors elle creusa avec son index et découvrit un humus qui sentait l'automne. La voix de François retentit soudain comme un grand bruit inquiétant :

« Pourquoi ne me regardez-vous pas? Vous ne dites rien. »

Qu'y pouvait-elle? Elle ne trouvait rien à dire. L'odeur de la terre pesait sur son cœur ainsi que l'air épais qui stagnait ici. Elle pensait à un livre qu'elle avait beaucoup aimé étant enfant. C'était l'histoire de Kildine, une petite fille enfermée par son père dans une tour habitée de chauves-souris et gardée par des aigles. Elle ne pouvait tout de même pas parler de Kildine à François.

Soudain elle sentit un malaise violent qui s'emparait d'elle; elle avait froid, tout tournait et se troublait, il fallait qu'elle s'en aille. Elle détacha brusquement sa main de celle de François, se redressa et se sauva. Elle peinait pour remonter la pente qui s'effondrait sous elle. Elle vit que François s'était levé. Elle hurla : « Laissez-moi seule, laissez-moi seule! »

Elle s'enfuit à travers les pins, le plus loin possible, jusqu'à ce qu'elle n'en puisse plus. Alors elle s'appuya contre le tronc d'un arbre et se mit à vomir et puis elle pleura. Mais qu'avait-elle fait!

La journée traînait en longueur. Les enfants n'auraient pas admis que l'on repartît si tôt, sans raison. Camille n'en pouvait plus. Jamais son regard ne rencontra celui de François. Elle était hébétée, elle ne comprenait pas ce qui s'était passé. Voilà qu'elle avait tout gâché. Elle aurait voulu être seule, au calme. La mer avait grossi, elle écrasait régulièrement sur le sable de belles vagues mousseuses et bruyantes, les enfants sautaient par-dessus, criaient. Camille ne supportait rien de tout cela, elle était inquiète.

Le retour fut lugubre et Jean dit :

« Camille, tu es fâchée avec François?

— Pas du tout, pourquoi?

— Vous ne vous parlez plus. D'habitude vous n'arrêtez pas.

— C'est que je suis fatiguée.

— Les vagues, ça fatigue », conclut Jean rassuré.

Heureusement, Mme Chaumont ne s'aperçut de rien. Elle prit les petits en charge dès leur arrivée et Camille put s'isoler dans sa chambre. Elle se doucha, brossa ses cheveux longuement. Elle ne pleurait pas, ne pensait pas. Elle se répétait : « Ça ne se passera pas comme ça. » Elle ne savait pas ce qu'elle ferait pour que cela ne se passe pas comme ça, mais elle avait la certitude qu'elle ferait quelque chose. Elle se sentit, tout à coup, froide et apaisée.

Le dîner se passa bien. Camille offrit, ensuite, d'aller coucher les enfants, besogne dont se chargeait habituellement Mme Chaumont. Inconsciemment, elle évitait sa mère, elle voulait être seule et ne pas laisser fuir cette détermination de faire « quelque chose » qui l'occupait entièrement.

Les circonstances favorisèrent son action : Mme Chaumont était lasse.

« Je n'en peux plus ce soir. Je ne sais pas pourquoi.

— C'est que le temps a changé. Il me semble qu'il fait plus humide. Va dormir, repose-toi.

— Et toi, que vas-tu faire ma grande?

— Je vais lire, j'ai du petit linge à laver, ne t'inquiète pas.

— Alors bonsoir, Camille, à demain.

— A demain, maman, bonne nuit.

— Bonne nuit. »

Pourquoi cette solitude justement ce soir? Comment sa mère, qui la connaît si bien, qui l'aime tant, n'a-t-elle pas vu qu'elle était bouleversée? C'est qu'elle était elle-même très occupée par sa propre fatigue, pensa Camille. Et François? Quelle heure vit-il? En fait-elle partie? Elle revoyait la tour qui tenait prisonnière la pauvre Kildine. Où sont les portes? Où sont les portes!

Du moins ne doutait-elle pas qu'il y eût des portes, c'est pourquoi les pensées précédentes ne l'arrêtèrent pas.

Elle ne se sentait pas capable de se livrer à une tâche ménagère. Elle n'avait pas le goût de rester assise seule sur la terrasse à rêvasser. Elle devait agir. Alors elle se mit à marcher; mue par l'habitude elle descendit les escaliers moussus, retrouva le chemin qui longe le jardin et conduit à la garrigue. Du vivant de son père elle était allée parfois se promener avec lui, la nuit; depuis elle ne s'était plus jamais aventurée à le faire. Cette initiative en elle-même lui parut être une action nécessaire. Il lui suffit donc pendant un temps de braver seule la nuit de sa campagne.

Camille n'était attentive qu'aux bruits : ses pas, les cailloux qui rebondissaient, le lézard réveillé qui fuyait dans l'ombre, la chouette du cyprès, quelques grillons. Parvenue au sommet de la colline qui surplombe la maison elle s'arrêta pour se reposer. Les montagnes et les plateaux du Var moutonnaient tout autour d'elle, de petits feux irréguliers brûlaient par-ci, par-là; c'était des villages que Camille connaissait et qu'elle pouvait nommer. Dans celui-ci vivait le cordonnier, dans celui-là s'élevait l'affreux bâtiment de la coopérative, dans cet autre son père était né. Tout ici était rassurant et beau. Camille pensa que son instinct l'avait poussée là pour vivre ce moment paisible. Le fol après-midi d'aujourd'hui prenait des proportions normales, tout s'arrangerait, l'aventure était risible, elle s'expliquerait. Elle se sentait, tout à coup, tous les courages.

Elle s'assit dans cet endroit familier. Il

n'y avait pas de vent. Le thym et la menthe sentaient bon. Camille trouva que chacune de ces plantes poussiéreuses ressemblait à une chaumière bien close à l'intérieur de laquelle se préparait un repas. Les fumées sortant des cheminées s'enroulaient capricieusement dans l'air, entraînant avec elles des parfums. Les volutes odorantes se rencontraient, se séparaient, profitaient d'un courant d'air imperceptible pour se glisser le long de la terre ou, au contraire, pour s'élever vers les étoiles. Camille s'imagina protégée par des voiles impalpables. Elle regarda le ciel qui était profond et tout rempli de lumières diverses qu'elle pouvait distinguer les unes des autres comme elle l'avait fait tout à l'heure des villages : Orion, la Grande Ourse, la Voie lactée, Véga... De tous les points de la galaxie arrivaient en galopant gaiement des chevaux ailés qui s'immobilisaient dans la position exacte où ils se trouvaient en passant près de la jeune fille. Certains gardaient leurs pattes de devant en l'air, d'autres restaient tendus dans un galop figé, d'autres se cabraient. On entendait des trompettes. Des grenouilles vertes couronnées d'or sautillaient entre les sabots des chevaux, elles formaient, en fait, la traîne du manteau de cour d'un homme grand et droit au visage invisible hormis des yeux qui regardaient Camille avec une grande bonté. C'était les yeux de M. Chaumont; sa fille les reconnaissait et était heureuse de les retrouver. « Enfin, depuis tant de jours », dit-elle tout haut. Leur contemplation lui suffisait et elle demeurait immobile et tout à fait paisible.

Les jeux commencèrent alors : les grenouilles se déplaçaient avec souplesse tout le long des chemins de parfum, la musique devenait exaltante. Les chevaux, qui étaient maintenant empanachés, encensaient de la tête et évoluaient comme au cirque, mais sans bruit. Les yeux étaient satisfaits du plaisir de Camille. Parfois de grands mouvements traversaient l'espace semblables aux vols de pigeons qui changent de couleur en changeant de direction ou encore aux bancs de sardines tantôt invisibles, tantôt aveuglants comme de grands couteaux d'argent vivants.

Puis tout s'estompa et elle sut qu'elle était passée du rêve à la réalité. Elle entendit des pas et bientôt elle distingua une silhouette qui venait vers elle. C'était un homme, c'était François. Elle se leva et courut vers lui. En la voyant venir il s'était arrêté et il avait ouvert ses bras. C'est en riant comme une enfant qu'elle vint contre lui.

Elle dit tout ensemble : sa sottise, son malaise, comme elle avait été malheureuse toute la journée, comme elle regrettait de ne pas avoir parlé. Elle ne dit rien du rêve qu'elle venait de faire, mais simplement :

« J'ai eu besoin de marcher, j'ai pensé à mon père et cela m'a fait du bien. »

Lui, la berçait un peu et, en même temps, il disait sa maladresse, son âge, sa vie, l'envie qu'il avait d'elle. Il embrassa les lèvres de Camille tout doucement, pour lui apprendre, jusqu'à ce qu'elle l'accepte et y prenne du plaisir. Il caressa ses seins. Elle était confiante, ce qui lui arrivait lui convenait. Elle déboutonna elle-même sa robe et il embrassa sa poitrine comme il avait embrassé sa bouche, très doucement jusqu'à ce qu'elle le désire. Les pointes de ses seins devinrent dures et gonflées.

« Je veux te plaire Camille.

— Tu me plais mais, moi, je suis impatiente et maladroite.

— Laisse-toi faire, tu es ma femme. »

François était bouleversé par le corps de Camille si lisse, si jeune.

Elle ne savait rien et ne comprenait pas pourquoi son corps qu'elle croyait bien connaître se comportait d'une manière tellement surprenante. Par moments elle avait peur et se raidissait, mais François disait : « Laisse-toi faire » et elle obéissait.

Elle osa demander :

« Si nous allions dans le bois. Ici tout le monde peut nous voir.

— Si tu le veux. »

Ils se retrouvèrent allongés entre les troncs d'arbres, dans un grand désordre de vêtements, de jambes, de bras. Camille reconnut l'odeur forte qui l'avait rendue malade l'après-midi. Elle voulait que cela finisse vite. Tout était humide et gluant.

« Laisse-toi faire, laisse-toi faire. »

François posa enfin son front sur l'épaule de Camille, il paraissait être à bout de souffle. Elle fut étonnée de ce répit brutal, de cet homme vaincu. Elle l'installa du mieux qu'elle put. Il était nu et très grand. Il la réclamait dès qu'elle s'éloignait de lui : « Où vas-tu? Que fais-tu? Reste là! »

Camille ressentait à l'égard de François une tendresse si grande qu'elle en avait les larmes aux yeux. Elle se disait qu'elle était heureuse.

Le lendemain, ils annoncèrent la nouvelle à leurs parents : ils allaient se marier.

Les familles étaient ravies.

On décida de célébrer la noce en avril, dans le Var, pendant les vacances de Pâques.

Camille et François se séparèrent, se retrouvèrent à Noël. Puis elle monta à Paris faire des achats pour son trousseau. Elle vécut chez ses beaux-parents.

« Quel ménage cela fera! Ceux-là, au moins, ils seront heureux! »

Camille obéissait à François et prenait du plaisir à le faire. François se sentait plus maître de lui que jamais. En outre, il ne se rassasiait pas de la jeunesse de Camille.

II

DURANT l'été qui suivit leur mariage, François fut nommé maître de conférences à la Sorbonne et Camille, en même temps, se trouva enceinte.

Le docteur de famille, que le ménage était allé consulter un bel après-midi d'août, dit au mari :

« La grossesse est certaine. »

En sortant de la grande maison aux volets clos et qui sentait l'encaustique, François riait aux éclats.

« La grossesse est certaine. Elle est bien bonne! Tu as vu comment il a dit ça! Sérieux comme un pape. »

Camille riait aussi. Une fois installée dans la voiture et pendant qu'ils roulaient vers la plage, elle mit la main sur son ventre. Elle était un peu déçue, c'était trop simple. On lui avait parlé de femmes qui s'évanouissaient, qui avaient des nausées, qui restaient allongées pendant des mois, qui avaient des « envies ». Elle n'avait rien, ne ressentait rien.

En octobre, ils retrouvèrent leur pavillon de banlieue. La vie prenait une allure sérieuse et définitive : lui à la Sorbonne, elle avec un enfant.

Ils avaient emmené la vieille Maria avec eux, elle s'occuperait du ménage et soulagerait Camille au moment de la naissance.

François était très occupé par ses nouvelles fonctions. Il rentrait à la maison heureux, fourbu. Il s'occupait beaucoup des étudiants. Très rapidement, il en aida un petit groupe à former un cercle culturel. Dans une salle en sous-sol, tour à tour glaciale ou surchauffée, ils écoutaient des disques, visionnaient des films. La grande idée était de monter une pièce de Plaute en latin. François qui avait toujours aimé le théâtre était enthousiasmé. Il assistait à toutes les répétitions, donnait des conseils, s'essayait lui-même pour donner le ton. Il se replongeait dans les livres pour étudier la scansion et savoir dans quelle mesure il fallait la respecter. Il parlait sans cesse de la difficulté ou même de l'impossibilité que l'on avait à restituer le latin tel qu'il était à l'époque où on le parlait.

Plusieurs fois, Camille alla avec lui, après

le dîner, assister à ces réunions. Elle aimait bien cela. Mais la distance et surtout son état faisaient qu'elle restait le plus souvent à la maison et laissait son mari y aller tout seul. Une nuit il rentra très tard. A l'entendre grimper les trois marches du perron Camille sut qu'il était heureux. Elle alluma. Il entra dans la chambre avec son pardessus et ses cheveux pleins de neige.

« Tu ne sais pas?

— Non, mais je vais savoir.

— Eh bien, on nous a trouvé une salle formidable, toute neuve, et nous y donnerons dix représentations.

— Ça, c'est bien. J'avais un peu peur que vous vous donniez tout ce mal pour rien.

— Figure-toi que la salle n'est libre qu'en mars, alors il faut se dépêcher.

— En mars!

— Oui, pourquoi?

— Et le bébé!

— Comment le bébé?

— Eh bien, il doit naître en mars.

— Je ne comprends pas. En quoi le bébé peut-il empêcher le spectacle d'avoir lieu en mars? Ce n'est pas une catastrophe, au contraire, c'est une chose naturelle. Que veux-tu dire ma chérie?

— Rien. Tu as raison. Mais c'est une chose tellement importante pour moi que...

— Oui, bien sûr. Mais je ne peux pas empêcher ces garçons et ces filles de jouer parce que ma femme va avoir un bébé.

— Il n'en est pas question. Mais j'aurais bien besoin de toi à ce moment-là, et...

— Allons, allons, ne fais pas de caprices de petite fille. Ils sont fous de joie mais ils ont un peu la trouille, je te le dis.

— Je les comprends. Tu sais, le bébé bouge de plus en plus. Figure-toi que cet après-midi, j'étais allée faire un tour avec Maria, qui voulait voir la neige. Nous nous sommes arrêtées chez l'épicière et pendant que nous parlions le bébé bougeait si fort que j'avais l'impression que tout le monde le voyait.

— Ce sera un coquin! Ah! je suis content! Un fils, un spectacle, tout en même temps. J'ai de la chance, je suis fait pour être heureux.

— Ce sera peut-être une fille.

— Une fille, c'est formidable. Quand elle sera grande, elle fera du théâtre. »

Il se déshabilla, alla s'étriller sous la douche et puis sauta dans le lit de sa femme où il l'empoigna à bras le corps en poussant des rugissements. Camille rit et se défendit.

« Attention à ton enfant. »

Elle s'étonnait de la vigueur de son mari, de cette vitalité qu'elle n'avait pas soupçonnée avant de l'épouser. Elle disait souvent en le voyant si actif, si entreprenant :

« Moi qui craignais que tu sois trop professeur, trop popote.

— Tu te trompais. Et puis, tu sais, ça m'a fait du bien d'avoir une jeune femme. J'avais peur d'être trop vieux pour toi.

— Eh bien, rassure-toi, il y a des jours où je me sens plus vieille que toi.

— Penses-tu, tu n'as même pas vingt ans.

— L'âge n'y fait rien. Au fond, c'est ma jeunesse que tu as épousée, ce n'est pas moi.

— Taratata. Alors, madame raisonne. J'ai épousé Camille Chaumont après mûres réflexions. Elle est maintenant dans mon lit, avec mon enfant dans son ventre et c'est tout. »

Camille fait sa chambre. Gestes automatiques. Premièrement les draps et puis les couvertures, ensuite les oreillers et enfin le dessus de lit. On ferme la porte, on ouvre la fenêtre, on balaie, on enlève la poussière, on remet les choses à leur place.

Après, elle fera la salle de bains. François ne rentre pas déjeuner, elle n'a pas besoin de se presser. Maria en profite sûrement pour faire l'ailloli. Elles en mangeront ensemble en parlant du pays et du bébé.

Dans le jardinet, non loin du mur de clôture, poussent trois poiriers. L'un d'eux étire ses pauvres bras maigres, qui ressemblent plus à des racines qu'à des branches. Deux chats errent sur le sol fait de neige fondue, de poussière et de suie. D'une détente, le premier grimpe après le tronc du poirier puis en trois bonds souples choisit une branche, la longe et franchit l'espace qui sépare l'arbre du mur. Une fois là, il s'installe sur son derrière et regarde autour de lui tranquillement. Il lèche son poil le plus loin qu'il peut en dessous des oreilles.

Le second chat suit l'exemple du premier et bondit sur le tronc où il s'agrippe maladroitement avec les griffes de ses pattes de devant, il rétablit l'équilibre et le voilà installé entre les branches. C'est une chatte, elle est pleine. Son gros ventre gonflé semble être attaché par des anneaux à son échine. Elle glisse sa queue de côté et regarde le sol et puis le mur et encore le sol. Elle prend, finalement, la décision de s'aventurer le long de la branche. Elle avance avec précaution jusqu'au moment où la branche ploie dangereusement sous son poids. Il faut sauter. La bête ne saute pas. Elle reste là, tassée sur ses pattes, les oreilles repliées en arrière. Sur le mur, le chat la considère. Il lèche ses pattes de derrière, son ventre et, très soigneusement, son pénis enfoui dans la fourrure noire. Il cesse sa toilette et se dresse pour regarder au loin avec indifférence. Tout à coup il bondit et disparaît. La femme se prépare alors à sauter. Elle assure solidement ses prises dans l'écorce, son corps tendu oscille légèrement d'avant en arrière, la détente ne vient pas. Elle recule prudemment, regarde encore le sol puis le mur. De nouveau elle se prépare à sauter. Elle saute. Ses petits n'ont rien dû sentir tant cela s'est fait doucement.

Camille ferme la fenêtre. Elle tient son gros ventre à deux mains. Elle a la nausée. Cela lui arrive parfois, moins souvent qu'aux autres, paraît-il.

Maria crie dans l'escalier :

« Camille, à table! On mange l'ailloli!

— J'arrive, mais j'ai mal au cœur ce matin.

— C'est que tu as faim. Dans ton état il faut manger, même si on n'a pas faim. Sinon le polichinelle te mangera.

— Ne dis pas ça, Maria, ça me dégoûte.

— Ça te dégoûte, ça te dégoûte. C'est la plus belle chose de la nature pourtant. Moi, quand j'attendais mon Maurice, j'étais tellement grosse que je ne pouvais plus attacher mes souliers. C'est mon pauvre mari qui me chaussait avant de partir au travail et je t'assure que j'avais pas honte de ça.

— Je n'ai pas honte. Ne me fais pas dire ce que je ne dis pas.

— Allez, à table. L'ailloli, ça va te remettre, va. C'est bon pour le lait. »

Le ventre de Camille gonflait. Sous la peau douce de ses seins apparaissaient les serpents délicats des veines bleues. Elle savait que l'enfant serait gros et elle en était fière. Lorsqu'elle se tenait debout elle sentait, entre ses jambes, tout le poids de son fils et elle ne pensait pas sans frayeur que bientôt elle serait écartelée pour donner passage à cette masse. Elle chassait l'image de sa tête, elle savait que toutes les femmes, ou presque, connaissent cela et qu'on parle avec attendrissement et gentillesse de la gestation et de la mise au monde. Des mots comme nid, douillet, cœur, berceau, chaleur, s'attachent à son état et elle, pourtant, trouve qu'elle ne peut se comparer qu'à un animal. Plus sa grossesse avançait et plus son ventre, ses seins, son sexe, les fonctions de son corps prenaient de l'importance. Elle savait qu'elle allait fabriquer du lait. Lorsqu'elle s'asseyait sa respiration était courte parce que le gros bébé appuyait sur ses poumons. Par moments, elle aurait aimé abandonner le paquet de son utérus dans un coin, se mettre alors à sauter comme avant, à plonger, et puis reprendre son fardeau. Mais elle ne le pouvait pas. Pour la première fois de sa vie elle sentait l'emprise de la nature sur elle, elle suivait le chemin qu'il faut suivre, elle évoluait comme il faut évoluer, elle était livrée à la chimie et à la sorcellerie des corps. Son esprit et sa volonté n'avaient pas de pouvoir. Elle devint certaine physiquement qu'elle mourrait un jour.

Au début de février, l'agitation s'empara du petit groupe théâtral que François dirigeait. Il fallait répéter, construire les décors, faire les costumes et trouver de l'argent pour tout cela. Le spectacle était pour bientôt. On ne savait pas encore la date exacte de la première. François s'inquiétait. Comment venir à bout de tout cela?

C'est Camille elle-même qui fit la proposition.

« Pourquoi n'installeraient-ils pas leur atelier ici? »

Le visage de François s'ouvrit.

« Je n'osais pas te le demander.

— Mais pourquoi? Les journées sont longues. Cette grossesse n'en finit plus. Cela me distraira. Si je ne te l'ai pas proposé plus tôt, c'est que je pensais que la maison était trop loin pour eux.

— Ils viendront travailler la nuit. Je les raccompagnerai en voiture. Que tu es gentille! Ah! j'en ai de la chance. J'ai une femme parfaite. »

Et il se mit à lui faire des petits baisers et à caresser son ventre rebondi. Ils riaient tous les deux.

Dès le dimanche suivant l'atelier s'organisa. Les garçons apportèrent le matériel pour les décors et s'installèrent dans la cave qui était vaste et bien chauffée.

Camille sacrifia la salle de séjour qui devint l'atelier de couture. Elle entassa les tissus sur la grande table et accrocha aux murs, avec des punaises, les maquettes des costumes. La jeune Mme Dubreuil trônait dans l'unique fauteuil, elle papotait avec les jeunes filles de la troupe qui avaient le même âge qu'elle, mais qui en savaient beaucoup moins long, croyait-elle, sur la vie parce qu'elles n'étaient pas mariées et n'étaient pas enceintes.

François travaillait avec les garçons. Vers 11 heures du soir tout le monde se trouvait réuni pour boire une grande tasse de chocolat chaud et manger des tartines beurrées. Puis Camille allait se coucher. Elle aimait bien se laisser prendre par le sommeil alors que la maison était pleine de personnes laborieuses. Toute la matinée Maria pestait contre le désordre laissé la veille et cela faisait rire Camille.

Dans le fond elle avait toujours rêvé d'être étudiante et elle était heureuse d'accueillir chez elle cette troupe studieuse et enthousiaste. Elle faisait des projets, elle rêvait que l'année suivante elle s'inscrirait en propédeutique. Le bébé aurait sept mois et Maria ne demanderait pas mieux que de le garder un peu pour elle toute seule. Il y avait beaucoup de jeunes mères de famille qui poursuivaient leurs études. Cela n'avait rien d'extraordinaire. Elle parlait de ces projets à François qui hochait la tête.

« Tu ne trouves pas que c'est une bonne idée?

— En tout cas, ce n'est pas une mauvaise idée. Mais il me semble que tu as plutôt un tempérament lymphatique et lorsque tu auras un enfant à ajouter à ta maison et à ton mari, tu n'auras pas envie de faire autre chose.

— Mais François, avant de me marier, c'est fou ce que je faisais!

— Aidée par ta mère et les vieilles bonnes de là-bas.

— Mais, je t'assure... Enfin, souviens-toi, l'été où nous nous sommes connus, il y a à peine un an, te rappelles-tu tout ce que je faisais?

— Tu prenais des bains et tu bavardais allongée sur le sable avec ta poitrine à l'air.

— Allons, voyons, tu inventes. Nous n'avons pas les mêmes souvenirs. C'est incroyable. Ça t'a vraiment frappé cette histoire de poitrine à l'air. Moi, je ne me suis rendue compte de rien du tout.

— C'est certainement à ce moment-là, pourtant, que j'ai commencé à avoir envie de toi et que j'ai pensé à t'épouser.

— Mais je n'avais pas fait exprès.

— C'est justement, et puis c'est comme ça, voilà tout. Et maintenant j'ai à domicile ces deux nichons ronds que je peux caresser quand cela me plaît. Viens sur mes genoux.

— Ne commence pas. Attends un peu. Alors tu n'es pas d'accord pour que je fasse propédeutique à la rentrée prochaine?

— Je suis d'accord pour tout ce que tu voudras mon bébé chéri. Je n'y crois pas beaucoup ma belle enfant, viens. »

Depuis que la grossesse avançait, François avait trouvé une formule : quand il voulait faire l'amour il disait « Ah! maintenant je vais aller dire bonjour à mon fils. » Cela agaçait Camille, elle trouvait que c'était bête, mais elle ne disait rien.

La première aura lieu le 9 mars, c'était décidé. Il y avait des invitations à envoyer, des affiches à coller, tout à terminer, et devant l'imminence de la date, il semblait soudain impossible d'y arriver. L'équipe devint fébrile. Ils restaient à travailler la nuit, chez les Dubreuil, jusqu'à 4 heures du matin. Chaque jour, au réveil, Camille pensait : « Pourvu qu'il n'arrive pas aujourd'hui. » Elle restait étendue, immobile dans son lit et elle considérait son ventre attentivement. La peau en était maintenant si tendue que le nombril ressortait, un peu comme un fruit confit que l'on installe au sommet d'un gâteau. L'enfant bougeait par vagues profondes ou bien il donnait de petits coups rapides et réguliers. Sa tête est par en bas et ses fesses sont par en haut, donc, quand il frappe comme cela c'est avec ses mains qu'il le fait ou peut-être avec ses pieds puisqu'il est tout recroquevillé, on ne sait pas. Pour l'instant il flotte dans l'eau chaude et il n'a pas beaucoup de place. Camille sait que ce qui est dans son ventre n'est pas elle-même. Son enfant est une personne bien distincte d'elle, qui bouge quand cela lui plaît, qui mène une vie secrète.

Elle a beaucoup grossi et ses traits sont tirés.

Mme Chaumont écrit de longues lettres : « Ne te fatigue pas trop... Le mimosa de l'entrée est en fleur... Je viendrai dès que tu sentiras que c'est nécessaire... Je t'envoie un autre gros colis de layette... As-tu vu ton médecin depuis la dernière fois... Ne prépare pas le berceau avant la naissance, cela porte malheur... Jean se plaît toujours autant dans sa pension d'Avignon... J'ai fait planter des frésias le long de l'allée du jardin, ils seront fleuris lorsque tu viendras à Pâques avec ton tout petit! »

A Pâques, elle sera chez elle avec son enfant! Camille en pleurait d'attendrissement. Les frésias, le mimosa, la douceur de l'air, le ciel bleu. Elle n'aurait jamais cru que tout cela lui manquerait si fort. Ici il faisait toujours gris et sale et la banlieue parisienne, ce n'est pas très gai. Elle ne pouvait pas dire à sa mère de venir maintenant avec toute l'équipe installée à la maison. La semaine prochaine elle ira voir encore une fois le médecin. Il dira approximativement la date de l'accouchement. L'autre fois il avait dit : « C'est difficile à prévoir pour une primipare. »

Primipare, cela fait penser à ovipare ou vivipare. Camille revoit son livre de sciences naturelles avec des serpents, des papillons, des écorchés. Les muscles : un monsieur nu et sans sexe poussant une colonne dorique qui ne soutient rien, ses biceps saillent. Les nerfs, les veines : d'autres messieurs châtrés qui se tiennent droit, les bras le long du corps et les doigts bien séparés les uns des autres. Jamais vu des femmes enceintes et de fœtus. Aux cours d'accouchements sans douleur les infirmières et les médecins sortent bravement les tableaux et les schémas. Voici comment vous êtes constituées, mesdames. L'utérus, les ovaires, l'œuf, les spermes. C'est la croisade de la saine vérité qui fait suite à une autre croisade de vérité d'où tout cela est absolument exclu.

Quand Mme Chaumont est venue à Noël, elle n'en revenait pas d'entendre sa fille parler aussi crûment et simplement de ses organes. Elle n'en savait pas tant. Cela la gênait. « Tu verras, cela se passe tout seul. Il ne faut pas trop y penser. »

Camille croit que François a raison quand il dit qu'elle est lymphatique. La matinée a passé à ne rien faire, elle a rêvassé. Elle ferait mieux de se lever et de préparer quelque chose de bon pour ce soir : de grandes tartes aux pommes pour tout le monde. Cela fera plaisir à François.

La maison sentait bon l'encaustique et la quiche lorraine. C'était là deux odeurs qui allaient mal avec le jour. François n'avait pas passé la nuit chez lui, il était resté au théâtre pour aider les étudiants à tout mettre au point. En s'éveillant, Camille avait trouvé que son ventre était dur et que le bébé ne remuait pas du tout. Une neige tardive tombait et fondait immédiatement, formant une boue liquide qui envahissait le jardin et la petite rue.

« Pourvu que ce ne soit pas pour aujourd'hui. »

Camille regardait par la fenêtre, elle attendait François.

Dans le salon tout avait repris sa place. Ils étaient venus hier pour enlever les costumes à peine terminés. Les quelques meubles des Dubreuil avaient petite allure. Le tapis rouge offert par Mme Chaumont était tout ébouriffé.

« Maria, je sors, je vais envoyer un télégramme à maman.

— Tu crois que c'est pour bientôt?

— Oui, je le crois! Je ne sens rien, mais j'ai l'impression que ça va arriver. Si Monsieur rentre, tu lui diras que je ne fais qu'aller et venir. »

Dans la banlieue d'hiver les pavillons mal rangés ressemblent à des resserres à outils. Il y a des poteaux télégraphiques, des arbres nus, des antennes de télévision, des réverbères.

Le ventre pèse plus sur le bassin, il est moins haut.

« Je donnerai ma robe de grossesse à Maria, elle l'arrangera pour elle. Je ne peux plus me supporter dans ces vêtements. »

Les trottoirs sont aussi fangeux que des fondrières, le plus sûr est de marcher au milieu de la chaussée. La rue est vide. Derrière certaines portes un roquet aboie avec acharnement. Comme si l'on avait envie de cambrioler une des ces pauvres demeures aux fenêtres étroites ornées de rideaux de filet.

« La maison nous a rendu bien service, mais pour l'année prochaine, il faut absolument que nous trouvions un appartement dans un immeuble neuf, pas trop cher et plus près de Paris. François ne voit pas la laideur de la banlieue. Je crois qu'elle lui donne bonne conscience. C'est difficile de faire partie du prolétariat quand on n'y est pas né. S'il savait que je pense cela, il serait furieux. »

La poste donne l'impression d'être toute chaude quand on y entre, mais, rapidement, on y a plus froid que dehors. Les femmes regardent le ventre de Camille. Elles ne bougent pas. Elles savent toutes ce que c'est : elles en ont eu des enfants et des enfants...

Je relis le texte :

« Moment venu. Viens quand tu veux. Très tendrement. Camille. »

« C'est ça. »

Le retour est moins long, moins triste. La mère va venir avec son accent chantant et sa tendresse. La maison sent bon, il y a de la quiche lorraine. François est peut-être là. Non, l'auto n'est pas devant la porte.

« Monsieur n'est pas rentré?

— Non pas encore. On l'attend pour se mettre à table?

— Un petit moment. S'il n'est pas là à 1 heure, nous mangerons sans lui.

— Toutes ces comédies, ça lui tourne la tête. Je n'aurais jamais cru ça de lui.

— Il ne fait rien de mal.

— C'est pas sa place, ça fait pas sérieux. »

Camille préfère trouver refuge dans sa chambre que dans la salle de séjour désertée. Elle essaye de lire, de tricoter. La neige s'est remise à tomber pour rien.

« Que font-ils au théâtre?... Rester là comme un gros tas, alors que les autres font des choses intéressantes... Je n'aurai pas d'autre enfant avant longtemps. François n'est pas un homme d'intérieur. Il n'a pas modifié son comportement pendant la grossesse. Il dit que c'est une chose naturelle, normale, qui ne doit rien changer à la vie... Je voudrais le voir avec un gros ventre, des seins qui tiraillent et envie de faire pipi toutes les dix minutes. Ce n'est pas drôle. Heureusement que maman vient, elle me comprendra. »

François est arrivé vers 5 heures, la barbe pas faite, le costume fripé.

« « Tu as fait tes cours comme ça!

— Comment, comme ça!

— Tout poussiéreux, pas rasé.

— Je ne fais pas des cours de dandysme... Fais-moi couler un bain bien chaud. Il n'y a rien à manger?

— Tu n'as pas déjeuné! Mais on ne savait pas à quelle heure tu serais là!

— Donne-moi n'importe quoi : un bout de fromage avec un verre de vin, un œuf dur, n'importe quoi.

— Maria! Monsieur a faim, il n'a pas déjeuné.

— C'est pas une heure pour manger. Qu'est-ce que je peux lui faire maintenant? La soupe n'est pas prête.

— N'importe quoi, Maria : un œuf sur le plat, du fromage, un verre de vin. Dépêche-toi.

— Y a pourtant pas la tramontane à Paris. »

François est déjà là-haut. Camille monte le plus vite qu'elle peut. Son ventre est toujours solide comme un ballon prêt à éclater. Il s'est déshabillé et s'est jeté nu sur le lit. Il a des jambes courtes et bien musclées, un long buste bronzé, son sexe pend en travers d'une cuisse. Elle fait couler le bain et prépare les serviettes. De la buée s'élève au-dessus de la baignoire, l'eau fait un bruit fort. Elle revient dans la chambre, il a fermé les yeux et croisé ses bras sous sa tête.

« J'ai télégraphié à maman.

— Tu crois que ça y est?

— Oui, je le crois. Le docteur a dit qu'il fallait s'y attendre d'un jour à l'autre.

— Heureusement qu'il n'est pas venu aujourd'hui. Quelle nuit... Formidable! Tu sais que les décors une fois plantés sont épatants. André a un sacré talent, il fera son chemin.

— Mon ventre est dur et le petit Dubreuil ne bouge plus du tout.

— Le coquin...

— Ton bain doit être prêt.

— J'y vais... Il y a quand même une catastrophe.

— Quelle catastrophe?

— L'éclairage. On n'a pas assez de projecteurs. Nous ne sommes pas arrivés à donner à la scène l'ambiance cocasse qui irait à Plaute. C'est plat. Enfin, tant pis.

— Je vais avec toi ce soir?

— Bien sûr, il ne faut pas rater ça. Ils

sont gentils, tu sais, ils me parlent de toi. Ils t'aiment beaucoup.

— Et si j'accouche pendant le spectacle.

— Tu as des douleurs?

— Non.

— Alors tu n'accoucheras pas. Laisse-toi donc un peu aller. Tu prévois toujours le pire. Et puis, si tu accouches, on verra bien.

— Je vais emporter la valise, comme ça, si ça me prend, tu n'auras pas à revenir ici, tu me conduiras directement à la clinique.

— Si ça peut te rassurer... »

Effectivement la salle est petite et ravissante. C'est un vieux théâtre entièrement rénové. Des sièges confortables de velours rouge sont installés dans un cadre doré et peint, avec un grand lustre en cristal qui pend du plafond orné des effigies de Racine, Corneille, Molière et Beaumarchais. Le rideau de scène flambe neuf.

Les gens commencent à arriver. Ils s'asseyent tout en regardant autour d'eux pour tenter de reconnaître quelqu'un. Il doit surtout y avoir des universitaires et des étudiants, pense Camille, qui d'autre peut être intéressé par un spectacle en latin? Après être restée un long moment dans les coulisses, François l'avait conduite à leurs places en promettant qu'il viendrait dès qu'il le pourrait. Comme il n'y avait pas de loges, toute la troupe s'entassait dans une pièce assez vaste où s'accumulaient les costumes, des éléments de décors, des valises, du matériel. Il y avait des reliefs de casse-croûte dans tous les coins et des bouteilles vides de Coca-Cola qui traînaient par terre et contre lesquelles on butait sans cesse. Ils étaient tous très énervés et avaient commencé à s'habiller et à se maquiller plus d'une heure avant le spectacle. Les filles et les garçons à moitié nus se disputaient une place devant l'unique glace. François évoluait au milieu d'eux, la cravate de travers, encourageant les uns et les autres, pensant à tout, prenant une fille par la taille sans s'en rendre compte, tapant sur les épaules d'un garçon. Camille avec son gros ventre et son manteau d'astrakan trop long, cadeau de sa belle-mère, ne se sentait pas à sa place. Aussi accepta-t-elle volontiers l'offre de François d'aller l'installer dans la salle. Elle acheta un programme et fut tout étonnée d'y trouver une photo de son mari. Pourquoi ne lui en avait-il pas parlé? Il était jeune sur cette image : vingt, vingt-cinq ans peut-être. Les cheveux étaient plus fournis et plus longs. Les yeux étaient les mêmes : clairs, sages, très beaux. Elle se mit à rêver à son enfant qui aurait les yeux de son père, il le fallait absolument. Pourquoi ressentait-elle cette retenue de toute sa personne lorsque François était près d'elle alors que, seule, elle se sentait envahie par un grand élan vers lui? C'est sa grossesse qui faisait cela. Lorsque l'enfant serait né, tout rentrerait dans l'ordre, elle serait heureuse avec François comme avant, mieux qu'avant. La foule pénétrait maintenant par petits paquets de trois ou quatre personnes. Dehors on entendait un murmure continu. Bientôt les fauteuils furent presque tous pris et les lumières baissèrent. Un roulement, trois coups et le rideau se lève sur le décor d'André. La gorge de Camille se serre : pourvu que tout marche. Elle n'aurait pas dû venir.

C'est Jean-Pierre qui entre le premier en scène et donne le prologue. Les gens ont l'air de s'intéresser, certains rient, Camille n'y comprend rien. Elle se sent bête. Le premier acte s'enchaîne. Camille regarde surtout les costumes et frémit chaque fois que la jolie Véronique s'assied : si tout allait craquer! Voilà la fameuse scène qui n'est pas au point, François en parle sans cesse. Le gardien se met à crier, les répliques s'échangent et Véronique reste debout, muette, les autres la regardent les bras ballants. Véronique a oublié son texte. Le cœur de Camille se met à battre. Elle n'aurait pas dû venir. On entend la voix de François qui souffle depuis les coulisses. Autour d'elle les gens sourient, ils trouvent cela « charmant ». Le fauteuil vide de son mari lui paraît être un précipice qui l'attire et lui donne le vertige. Le rythme est retrouvé. Le blanc a duré quelques secondes à peine, pourtant Camille n'en peut plus, elle transpire, elle voudrait sortir, mais elle est au milieu de la rangée et ne peut pas faire lever tout le monde et puis cela ferait du bruit. Prise au piège! Que faire? Elle ne veut même plus regarder les acteurs. Si elle le pouvait elle se boucherait les oreilles. Elle s'applique à calmer les battements de son cœur, à retrouver le calme : la salle a ri, tout va très bien, il y aura un entracte bientôt, il n'y a pas de raison pour que les costumes se déchirent.

Au moment où elle croyait avoir retrouvé son calme, elle reçoit un énorme coup dans le foie qui lui coupe le souffle et puis un coup dans les reins et le bébé commence à s'agiter dans son ventre, comme un fou. Mais qu'est-ce qui lui prend! Le cœur de la jeune femme se met à battre très fort; et si elle allait accoucher là! devant tout le monde! Elle a peur. Il faut qu'elle tienne jusqu'à l'entracte. De grandes phrases de latin arrivent dans sa tête et résonnent. Elle tient son ventre à deux mains, et, en même temps, elle se surprend à réciter ses conjugaisons, sagement, comme pour conjurer le mauvais sort. C'est absurde. Soudain elle est sûre d'une chose : elle va mourir, les gens qui l'entourent vont mourir, tous, l'enfant qu'elle porte va mourir. Elle a envie de vomir.

Les gens applaudissent, le rideau se ferme, la salle s'éclaire. Camille se lève mais ses jambes la soutiennent mal et son manteau lui semble peser une tonne. Il lui faut attendre patiemment son tour pour sortir, pressée par des inconnus qui parlent du spectacle, qui traînent chacun leur odeur. Elle ne retrouve plus le chemin, elle se perd dans les couloirs, elle ne sait plus où se trouve l'entrée des coulisses. Elle monte des marches, elle en descend, il lui semble que son ventre pend et que, sans l'effort qu'elle fait pour cambrer les reins, elle serait entraînée en avant. Les gens la bousculent, personne ne voit la terreur qui l'habite. Elle est seule, prise au piège, c'est la souricière. Enfin une ouvreuse.

« Les coulisses, Mademoiselle, s'il vous plaît?

— Dans le fond du couloir, la porte de gauche.

— Merci. »

Elle a parlé très naturellement. Sa voix est sortie simplement et sans crainte, comme un drapeau au-dessus du champ de bataille.

Elle n'en revient pas, elle se trouve forte. Devant la porte, un homme :

« C'est pour aller où, Mademoiselle?

— Dans les coulisses.

— C'est défendu. »

Elle met son ventre en avant. Mademoiselle! Il est fou! Les gens sont-ils tous aveugles ce soir?

« Mais c'est mon mari qui dirige la troupe.

— Quel est votre nom?

— Mme Dubreuil.

— Fallait le dire plus tôt. Allez, passez. »

Dans les coulisses, c'est encore pire que dans la salle. Les gens sont bloqués dans l'étroit passage qui mène à la scène. Elle s'appuie au mur qui est sale et regarde attentivement un compteur électrique. Il y a des chiffres, des lettres, c'est incompréhensible. Même si elle criait on ne l'entendrait pas. Elle aperçoit François qui parle, adossé contre le chambranle de la porte, Véronique est près de lui. Tout le monde sourit. Ils sont heureux. Camille se sent très loin d'eux. Elle a honte d'elle-même. Ils vont se dire : « Ce pauvre Dubreuil, il est affublé d'une de ces femmes... » Minable, elle est minable.

Un grand mouvement se produit, c'est que l'entracte doit toucher à sa fin. Elle se sent poussée vers François, mais pour éviter les bourrades dans son ventre, elle se met sur le côté, se tourne et, finalement, c'est à reculons qu'elle entre dans la pièce.

François l'aperçoit et vient vers elle.

« Alors, comment as-tu trouvé?

— Très bien.

— Non, ne dis pas ça comme ça, tu es de la famille, dis-nous ton impression réelle. »

Elle n'a rien à dire, elle vit dans un cauchemar qui n'a rien à voir avec le spectacle ni avec tous ces gens.

« J'ai eu peur quand Véronique a oublié son texte. On t'a entendu souffler de la salle.

— C'est tout ce que tu trouves à dire!

— Non, non, c'était très bien, vraiment très bien. Je suis bouleversée parce que j'ai mal au ventre. Je ne veux plus retourner dans la salle.

— Allons bon, tu as très mal?

— Non, pas très mal. C'est plutôt une impression désagréable, une appréhension.

— C'est normal. Est-ce que tu te sens capable de tenir le coup jusqu'à la fin du spectacle?

— Oui, mais je ne veux pas retourner dans la salle. J'ai peur.

— Je t'en prie, ne fais pas de caprice. Je vais t'installer dans un coin où tu ne gêneras personne, mais tu n'y verras rien de la suite. »

Elle se fiche pas mal de la suite, mais elle

ne peut pas le dire. François ne comprendrait pas.

« Je viendrai voir le spectacle une autre fois, quand il y aura moins de monde.

— Tiens, mets-toi là et sois sage. Je reviens. »

Elle s'assied sur un escabeau et regarde François qui s'éloigne. Les gens sont partis. La deuxième partie va commencer. On éteint les lumières. Camille préfère cette obscurité, elle étend ses jambes. Par la porte, elle aperçoit un tout petit bout de scène.

Pourquoi François dit-il qu'elle fait des caprices? Elle n'en fait pas. Sa peur est vraie, elle ressent vraiment tout ce qui se trame dans son corps. Si elle était honnête avec elle-même elle hurlerait au secours, elle pleurerait.

Capricieuse et lymphatique, voilà ce qu'elle est pour François. Elle a bien essayé de lui parler de ses craintes, de l'angoisse qui s'empare d'elle de plus en plus souvent depuis qu'elle est enceinte, mais il n'aime pas cette conversation, il dit qu'elle se laisse aller, qu'elle s'occupe trop d'elle-même, qu'elle ne prend pas assez d'exercice. Et les femmes qui travaillent, qui ne sont pas servies et qui ont d'autres enfants par-dessus le marché, comment font-elles? hein? Caprices d'enfant gâtée.

Elle vient d'avoir dix-neuf ans et pourtant il lui semble qu'elle en a cent. Bientôt une année de mariage et comme son adolescence est loin. Elle ne sera plus jamais insouciante. A-t-elle jamais vécu dans sa maison calme? Elle s'y ennuyait les derniers temps. Elle ne sait vraiment pas ce qu'elle veut.

Dans le coin où François l'a installée se trouve le vestiaire des comédiens, des vêtements vient une odeur forte, sur la table, il y a un amoncellement de bouts de coton pleins de maquillage, du noir, de l'ocre, des Kleenex roulés en boules, déchirés.

L'enfant s'est arrêté de bouger, mais le ventre est encore plus lourd. Camille ne souffre pas, elle est mal à son aise. Elle appuie sa tête contre le mur, elle ferme les yeux. Elle aimerait pleurer. Si seulement sa mère était là. Elle voit la chambre ensoleillée de son enfance, elle a la grippe et Mme Chaumont reste de longues heures auprès d'elle. Sur une veilleuse chauffe une petite théière de faïence remplie de verveine. On a fait brûler de l'eucalyptus. Mme Chaumont reprise les vêtements de ses enfants ou bien elle lit un livre. Rien ne peut arriver à Camille, elle est parfaitement protégée et ne craint rien.

Ils se sont couchés tard. Le spectacle a été un triomphe. Les gens ont envahi la scène pour féliciter les acteurs et l'organisateur. Cela a duré longtemps. François était heureux, il était gentil avec sa femme, prévenant. En rentrant, il s'est vite endormi profondément. Camille n'a pu trouver le sommeil, elle s'est tournée d'un côté et puis d'un autre, à droite, à gauche. Elle est descendue au salon pour prendre des coussins. Cette position, moitié assise, moitié couchée, était la meilleure. Elle a essayé de lire mais son imagination l'entraînait ailleurs, dans des contrées malsaines et effrayantes. Enfin, elle a éteint la lumière et elle est restée sans bouger à écouter dormir son mari. Elle a eu une première contraction et elle a attendu que vienne la seconde. Les femmes racontent entre elles que les contractions se produisent régulièrement avec des intervalles de plus en plus courts. Une demi-heure a passé et la seconde contraction n'est toujours pas venue. Elle a dû attendre deux heures pour que se produise une nouvelle crispation de son abdomen. Elle a allumé sa lampe, il était 4 heures du matin. Elle regarde son mari. *Son mari.* Un homme allongé, tout droit, les mains croisées sur le ventre, la bouche légèrement entrouverte avec un filet de salive qui relie les coins des lèvres, sa barbe a poussé. Sous l'effet du profond sommeil, les yeux se sont enfoncés et le teint a pâli. Où est-il? Il fait penser à un chaland qui se serait détaché des autres, aurait été poussé par le courant hors du port et naviguerait en haute mer, long, vide, inerte et livré au mouvement des vagues. Il est là, contre elle et ne peut rien faire pour elle. Ils ne se connaissent pas du tout. Le sommeil ne lui convient pas, c'est un homme trop actif, trop vivant pour être vu dans cet état. On dirait qu'il est mort. L'enfant qui va naître lui appartient, à elle, et appartient aussi à ce cadavre.

Des cadavres pêle-mêle, en montagnes, en plaines. Les gens marchent dessus, dansent dessus. Ils disent qu'il ont les pieds bien sur la terre.

« François! »

Il se tourne sur le côté et remonte les couvertures sur ses épaules.

« François! »

Il se redresse et regarde fixement devant lui.

« François, réveille-toi! »

Il la regarde et, peu à peu, la reconnaît. Comme il était loin!

« Qu'est-ce qui se passe?

— Je vais accoucher. »

Il est debout au pied du lit.

« Tout de suite? »

Elle rit :

« Tu es complètement ahuri.

— Ne viens-tu pas de me dire que tu accouches?

— Oui, mais c'est le commencement.

— Tu en es sûre?

— Certaine.

— Alors, partons. »

Dans la voiture il lui serre la main et conduit avec précaution. Il la regarde de temps en temps avec tendresse.

« Ça va bien se passer, tu verras, tu vas me faire un beau petit. »

Elle pleure doucement. Elle se sent courageuse. L'épreuve l'attire. Maintenant qu'elle y est, tout lui paraît simple. Elle pense que c'est la longue attente qui la rendait nerveuse et qu'elle ne sera plus jamais anxieuse.

A la clinique, la sage-femme de nuit l'installe dans une chambre et, après l'avoir examinée, lui dit qu'elle en a pour plusieurs heures.

« Il me faut une brassière, une chemise, des couches et un molleton.

— Tout est dans la valise. »

Avec des mains expertes, la femme choisit ce qui lui convient. Camille la regarde faire. Elle ne s'était pas rendue compte qu'elle avait collectionné de vrais vêtements qui serviraient réellement un jour. Les larmes lui montent aux yeux.

« Voilà que je me remets à pleurer. »

François prend sa main.

« C'est que tu es émue. Il y a de quoi. Moi aussi j'ai la gorge serrée. Comment te sens-tu?

— Bien. Je n'ai pas eu de contraction depuis que je suis à la clinique.

— Tu sais ce que tu devrais faire? Tu devrais essayer de dormir un peu et pendant ce temps je dénicherai un bistro ouvert et j'en profiterai pour avaler un grand café noir.

— Oui, c'est ça. Va et reviens vite. »

A peine est-il sorti qu'une grande vague la prend. Elle se met à haleter comme on lui a appris à le faire aux cours d'accouchement sans douleur. C'est passé. Elle pense que ce n'est vraiment pas grand-chose. La sage-femme réapparaît, affairée, Camille lui dit :

« Je viens d'avoir une bonne contraction

— C'est le travail qui commence. »

Elle est repartie.

Le jour s'est levé. Les bruits de la ville font un roulement continu qui envahit complètement le haut rectangle de la fenêtre. Dans les profondeurs de la clinique on entend des cliquetis, des voix, des cris de bébés, l'ascenseur qui monte et descend avec un bruit de vent. Camille a les mains moites. François est revenu, il est en pleine forme, il a vu une affiche du spectacle dans la rue, il a aperçu une pièce pleine de « nourrissons affreux ».

Camille est très fière parce qu'une contraction la prend. Elle inspire profondément, expire lentement et halète : ha, ha, ha, ha, ha.

« Ça y est, c'est passé. »

François la considère avec admiration.

« C'est épatant l'accouchement sans douleur. Quand on pense à nos mères qui hurlaient. »

Camille est absorbée par son affaire. Elle attend les contractions et, entre-temps, elle somnole.

« La nouvelle sage-femme a dit que ce ne sera pas avant cet après-midi. Tu aimes mieux que je reste auprès de toi ou bien tu penses que je peux aller faire mon cours de 10 heures à midi?

— Va faire ton cours. Je me sens bien. »

La voilà de nouveau seule. Les contractions se rapprochent et sont plus fortes. Camille commence à calculer : « Le temps de revenir de la Sorbonne, avec la circulation qu'il y a en ce moment, il ne sera pas là avant une heure. »

La sage-femme passe régulièrement. Elle l'examine à chaque fois. Elle parle d'une évolution normale : la pièce de un franc, puis la pièce de deux francs. Cette fois-ci :

« Vous en êtes presque à la pièce de cinq francs.

— J'en ai encore pour combien de temps?

— Dans le courant de l'après-midi. »

A 1 heure François n'est pas là. Les contractions ressemblent à des vagues de fond, elles ont de la force. Camille halète sans arrêt. Bientôt le bruit de son souffle a empli toute la chambre, elle n'est plus consciente des bruits extérieurs. Inspirer, expirer, ha, ha, ha, ha, ha! un temps, de nouveau l'avertissement des muscles, inspirer, expirer, ha, ha, ha, ha, ha.

Il y a maintenant plus de huit heures qu'elle est là. Elle a mal, elle a chaud. C'est désagréable mais elle s'y attendait, c'est supportable.

Tout à coup les machines se sont mises à fonctionner à plein. Ces machines, c'est son propre corps, elles n'ont pourtant pas besoin de ses commandements. Le rythme, la violence, la volonté acharnée de tous ses muscles pour expulser l'enfant, pour le chasser. Une guerre qu'elle n'a pas déclarée, une bataille formidable qu'elle subit et qui se déroule sur son propre territoire. Elle veut que cela s'arrête un instant, un seul instant. Mais ce qu'elle veut n'a aucune importance. Le travail se fait sans elle et pourtant avec elle. C'est absurde.

François est arrivé, il a regardé sa femme avec crainte.

« Ça ne va pas? »

Elle fait aller sa tête sur l'oreiller pour dire que ça va, qu'elle est trop occupée, qu'elle ne peut pas répondre.

« J'ai déjeuné avant de venir. Comme cela je ne te quitterai plus. Ta mère a envoyé un télégramme, elle arrive ce soir. »

Les contractions s'enchaînent les unes aux autres. Parfois la jeune femme n'arrive plus à reprendre son souffle en temps voulu, les muscles se crispent, elle gémit un peu au milieu de ses halètements. Elle est livrée à elle-même et elle-même est son pire ennemi. Elle a peur. Elle murmure :

« Je suis prise dans la souricière. »

François est désolé, il entre et sort sans arrêt, il voudrait que tout se termine vite.

La sage-femme arrive cette fois avec une table roulante chargée de boîtes métalliques et d'instruments qui tintent les uns contre les autres. Elle sort une longue pince qui ressemble à un instrument de torture.

« Je vais vous percer la poche des eaux. Cela ne vous fera pas de mal, ça va même vous soulager. Il n'y en a plus pour longtemps. »

L'eau tiède et bienfaisante coule le long des fesses de Camille. Elle est nue sur son lit avec son gros ventre et ses jambes écartées. Elle s'en moque, n'importe qui peut entrer. Elle ne veut plus qu'une chose : être délivrée.

Son médecin est auprès d'elle, il est rassurant, elle le connaît bien. Il lui parle comme si rien ne se passait. Elle fait un effort pour répondre. Il a posé ses mains froides sur le ventre, il tâte adroitement.

« Voilà une contraction, allez-y! »

Elle s'applique comme une bonne élève.

Il l'examine, la sage-femme l'examine. Le docteur annonce :

« On va vous mener en salle de parturiente, tout se passe très bien. »

On vient la prendre et on la transporte dans une salle très éclairée. Quelle heure est-il? François est là. Il lui tient la main. Elle la serre.

Le lit de parturiente où on l'installe est recouvert de tissu en matière plastique glacée. Elle se met à grelotter. Elle voit, dans une perspective de science-fiction, avec des chromes et des êtres sans visage, ses cuisses qui tremblent.

« Calmez-vous. »

La main de François serre la sienne. Elle doit lui faire horreur. Il y a combien d'heures maintenant? Dix heures? Douze heures? Elle ne sait plus. Le médecin parle.

« Nous en arrivons à l'expulsion. Vous

vous souvenez de ce que vous avez à faire? »

Elle fait oui de la tête. Il le lui rappelle tout de même :

« Vous vous agrippez après cette barre, vous inspirez profondément, puis vous expirez complètement, et vous bloquez en poussant. Compris?

— Compris. »

Le rythme a changé, Camille perd la tête. Elle ne sait plus quand ça commence et quand ça finit. Les os de son bassin sont écartelés sous la poussée. Elle force au hasard, elle s'agrippe à n'importe quoi.

« Vous poussez mal. Faites attention. Allez-y, allez-y. Inspirez, expirez. Allez-y, bloquez, poussez, encore, encore. »

Elle a crié comme un animal.

« Vous ne vous contrôlez pas. Moins vous vous contrôlez, plus ça durera. En voilà une autre. Allez-y, allez-y, bloquez, poussez par en bas, poussez, encore, encore, encore, encore. On voit le crâne. »

Elle s'en fout du crâne. Son enfant est son ennemi. Elle est, elle-même, son ennemie. Les autres sont sévères et ne peuvent rien faire pour elle. Maintenant elle se révolte, elle n'obéit plus, elle crie .

« Endormez-moi, endormez-moi! »

Elle a entendu, comme venant de très loin, la voix de François :

« Allons, voyons, Camille. »

Elle s'en fout de François, elle le déteste. Elle ne couchera plus jamais avec lui, elle n'aura plus jamais d'enfant. Elle a le sexe en horreur, le sien et celui des autres, elle exècre cette humanité qui se reproduit et s'accouple par l'entrejambe.

On applique un masque sur son visage, on lui dit de respirer profondément. Elle aspire avidement, encore, encore, encore, elle se saoule de cette odeur. Son corps doucement s'efface, elle entend la voix du médecin qui se répète comme un écho :

« Passez-moi l'alcool, passez-moi l'alcool, passez-moi l'alcool. »

Il n'y a plus que son esprit libre, léger qui s'envole dans la garrigue avec les sauterelles vertes et jaunes. Elle court dans le thym. Elle est heureuse, heureuse.

Lorsqu'elle ouvrit les yeux, elle était toujours dans la salle de parturiente, mais ses jambes étaient jointes et allongées.

Elle était encore engourdie par son sommeil profond et elle profitait, avec une sorte d'ivresse, à la fois de la légèreté du rêve et de la lourdeur de son corps apaisé. A travers ses cils elle ne voyait pas grand-chose, d'ailleurs elle ne faisait pas d'effort pour voir, elle se laissait vivre.

Elle a dû faire un mouvement car le docteur s'approche d'elle :

« Vous avez un fils, il est magnifique, il pèse 4 kg 100. J'ai fait une petite incision, vous avez six points.

— Cinq », rectifie une infirmière.

Ils sont tous au-dessus d'elle, ils sourient. Elle sourit aussi. Elle est bien dans son cocon. François est là, il a un paquet dans les bras. Elle murmure :

« Donne-le-moi. »

Elle voit descendre vers elle le plus bel enfant qu'elle ait jamais vu. Il a la couleur de l'abricot, son crâne est rond, il a de courts cheveux blonds comme de l'or, ses yeux sont ouverts. On le lui installe sur la poitrine, elle referme les bras sur son bébé, son menton frôle le duvet de sa tête. On veut le lui reprendre, elle refuse, elle serre les bras plus fort.

« Vous êtes sûre de pouvoir le tenir?

— Oui, oui. »

Décidément Camille avait toutes les chances et elle le savait : un gentil mari qui gagnait bien sa vie, un fils magnifique, une maison en banlieue, la jeunesse, la santé.

A Pâques, ils descendirent dans le Midi et, pour qu'elle se remît complètement de ses couches, François lui proposa de rester auprès de sa mère durant le troisième trimestre. A cette époque il serait lui-même très occupé, aurait peu le loisir de voir sa femme et son fils Bernard. Il n'eut pas beaucoup à insister.

Camille s'installa donc chez elle. Elle pensa que cette longue période de soleil et de calme lui ferait du bien. Elle avait honte de ne pas se sentir heureuse d'autant plus qu'elle avait tout pour l'être et qu'elle n'aurait pas su dire ce qui lui manquait.

Au début de juillet, François avala littéralement les kilomètres qui le séparaient de sa femme. Il chantait en conduisant. Il avait envie d'elle, de son corps, de ses caprices, de ses langueurs : elle, avec leur fils dans les bras. La France était belle en été. Trois longs mois de vacances devant lui, à nager, à travailler dans l'ombre de la véranda, à faire l'amour, à regarder pousser son fils, à contempler les rondeurs de Camille. Il se disait : « J'ai de la chance et c'est normal parce que je suis fait pour être heureux. »

Dès le lendemain de son arrivée, il décida Camille à aller vivre dans la maison des Dubreuil où ils seraient seuls. Elle accepta. Et pourtant, le tête-à-tête avec François l'inquiétait déjà.

La maison des Dubreuil était plus vaste que celle des Chaumont mais elle n'était pas faite, comme cette dernière, pour y vivre longtemps. Aux fenêtres du salon pendaient des rideaux sur lesquels s'envolaient indéfiniment d'affreux perroquets, les meubles avaient la vétusté, la laideur et l'inconfort des meubles dits « de jardin ». Au premier étage toutes les pièces donnaient sur un long couloir carrelé de noir et de blanc où il faisait toujours frais. Les chambres étaient imprégnées d'une odeur de renfermé que Camille ne parvenait pas à chasser. En bas, le salon, la salle à manger, le bureau, l'office et la cuisine s'ouvraient sur un hall prétentieux aux allures romaines et que, seules, ornaient deux allégories de plâtre : la chasse et la pêche.

C'est à cette époque, dans ce cadre, que commence, véritablement l'égarement de Camille.

François se moquait de toutes ces laideurs qu'il ne prenait pas au sérieux parce qu'il les avait toujours connues et, dans le fond, elles l'attendrissaient. Camille, elle, ne parvenait pas à en rire et se forçait à sourire lorsque son mari, la prenant par le bras, faisait semblant de la diriger dans un palais des Mille et Une Nuits.

D'où lui venaient cette tristesse et cette

lassitude? Chaque matin les cris affamés de Bernard la tiraient brutalement d'un sommeil pesant duquel elle sortait harassée, plus fatiguée que la veille.

Elle n'osait se confier à personne, surtout pas à François. Pourquoi? Peur de le décevoir? Incapacité de trouver les mots qui traduiraient son état? En fait, à elle-même, elle se disait : « Je suis fatiguée » et n'allait pas plus loin. Cette jeune femme comblée semblait vivre des jours heureux et, pour Camille, cette apparence seule avait de l'importance.

Les pires moments de sa vie se situaient le soir, après le dîner et à l'heure de la sieste : alors François avait envie d'elle et il lui faisait peur. Depuis la naissance de Bernard elle ne désirait plus que son mari la touche. Ces accouplements étaient une corvée. Elle avait honte de le dire et jouait la comédie du plaisir..

Camille se mit à composer un personnage pour elle et pour les autres : la maman-femme-enfant sérieuse et courageuse. Elle se laissa prendre par ses mensonges et commença à subir sa vie. Le rythme de son mari ne lui convenait pas : elle avait besoin de sommeil, lui pas, elle désirait pour son fils une vie régulière et François ruait dans les brancards des heures fixes et des régimes : « Les enfants doivent pousser comme de la mauvaise herbe.

Je ne veux pas que mon fils soit un timoré, il doit avoir le goût de l'effort. »

Bernard, lui, vigoureux et beau s'accommodait de tous les rythmes, criait, dormait peu et promettait d'être une force de la nature. Il épuisait Camille qui s'obstinait à le nourrir au sein alors qu'il avalait déjà purée et viande hachée : « Une femme doit allaiter son enfant », elle avait des principes! Cela n'était pas pour déplaire à François qui aimait contempler le spectacle qu'offraient Camille avec ses gros seins gonflés de lait et Bernard qui les attrapait à pleines mains et tirait dessus gloutonnement jusqu'à ce qu'il n'en puisse plus. Il se rejetait alors en arrière, le front couvert de sueur, les yeux chavirés. « Il a son compte. » A cinq mois il en paraissait dix, se dressait sur ses jambes puissantes comme des colonnes, s'agrippait d'une main à sa mère et, de l'autre, tapait avec une cuillère sur tout ce qu'il trouvait. Camille riait mais elle était lasse à pleurer.

Elle prit l'habitude de fuir, elle trouvait toujours une bonne raison pour être dehors aux heures où François l'attendait. Elle entreprenait des marches solitaires au moment le plus chaud, quand le soleil décolore la terre et le ciel et fait chanter les cigales, ou bien lorsque la nuit tombe et libère les parfums. Elle s'obstinait à ne pas vouloir penser à son malaise, elle le cachait comme un cancer. Elle s'éloignait des autres et trouvait en elle-même une profusion de fantômes, de princesses, de gnomes, de biches, d'ectoplasmes, de héros, qui lui tenaient compagnie. Ils se promenaient longtemps dans un monde tremblotant où seuls pénètrent les fous.

A son retour, elle trouvait François endormi ou parti pour la plage. Elle enlevait ses chaussures et marchait pieds nus dans le couloir du premier étage. La fraîcheur du carrelage lui faisait du bien, elle se disait que demain serait différent et, pourtant, demain était pareil.

François semblait ne pas se rendre compte. Etait-il inconscient? Vaniteux? Blessé? Pouvait-il imaginer que cette petite fille qu'il avait formée le fuyait?

Ils ne se parlaient jamais franchement.

A la fin de l'été, Camille quitta sa mère et ses collines. Ses cauchemars avaient remplacé ses rêves, elle partait vers d'autres mensonges, d'autres fuites.

Les phantasmes ne se racontent pas aux autres, Camille le pressentait. Elle vivait avec ses peurs, parlait en leur compagnie, mais elle les gardait cachées, ce qui lui permettait de continuer à vivre « normalement » avec les gens.

Les Dubreuil avaient conservé leur pavillon de banlieue : les appartements modernes étaient trop chers.

Camille sortait son fils durant de longues heures. Elle connaissait par cœur les squares, les jardins publics et les terrains vagues environnants. Dans chacun d'eux se trouvait un lieu où elle pouvait rêver à son aise. Bernard s'amusait; Maria tenait la maison; François travaillait. Elle était donc libre.

En quittant le Var, elle pensa être précipitée immédiatement dans l'enfer. Au lieu de cela elle trouva une vie plus facile parce que ses rapports avec François étaient moins nombreux. Les occupations de son mari le retenaient hors de la maison toute la journée et souvent le soir. Faire semblant de dormir à 1 heure du matin ce n'est pas un grand mensonge. Restaient les dimanches et les jours fériés, elle s'arrangeait alors du mieux qu'elle pouvait.

Bernard, en grandissant était devenu un enfant magnifique aux courtes boucles blondes, aux yeux verts, au teint de pêche. A dix mois, il marchait, à dix-huit il faisait du tricycle dans le salon et bousculait les meubles, ce qui faisait hurler Maria, qui, en dehors de cela, avait pour lui toutes les faiblesses. Il mangeait autant qu'une grande personne. « C'est un monstre », disait Camille tendrement.

Aujourd'hui, elle a promis de le mener aux manèges de la fête. L'enfant, grimpé sur un cochon à queue en tire-bouchon, rit aux éclats et appelle sa mère dès qu'il passe à sa hauteur. La tête de Camille tourne. Elle aurait voulu se coucher là, par terre, et dormir.

Elle était de nouveau enceinte.

Camille nia l'existence de cet enfant jusqu'au jour de l'enterrement de son beau-père — M. Dubreuil n'avait pas survécu à une attaque. C'était une journée d'automne précoce comme il y en a durant certains mauvais étés, le cimetière s'étendait sous un soleil pâle, les arbres commençaient à perdre leurs feuilles, absurdement. François assistait sa mère qui pleurait sous ses crêpes. Tout se passait comme cela doit se passer. Sur les tombes proches quelques fleurs de plastique faisaient vivre un printemps artificiel : des jonquilles, du lilas, des anémones. Camille se tenait en retrait : elle voyait rarement ses beaux-parents et ne connaissait pour ainsi dire pas ce vieil homme qu'on enterrait. Le ciel avait des bleus très doux. Dans son ventre le mouvement commença imperceptiblement, lentement, comme de petites bulles qui auraient effleuré sa chair. Puis cela devint plus précis, les bulles se changèrent en boules de billard qui s'entrechoquaient régulièrement dans les entrailles. Camille ne pouvait plus éviter la vérité : elle était enceinte, l'enfant bougeait. Elle se mit à pleurer et cela lui fit du bien. François vint la consoler.

« Nous n'avons plus de père ni l'un ni l'autre. »

Elle hochait la tête et reniflait. Elle ne voyait pas de rapport entre ce vieillard insignifiant que l'on mettait en terre et son père si gai, si vivant. Elle n'était inquiète que de son sort. Un coup de vent fit voler des feuilles sèches. On entassait les gerbes et les couronnes sur le rectangle de terre remuée.

Elle eut une fille, Cécile, exactement le jour des vingt mois de Bernard. Cet accouchement fut moins pénible que le premier.

La petite fille ressemblait à son frère, elle était aussi vigoureuse que lui mais elle était sage, elle ne pleurait jamais.

Vingt mois après Camille eut une autre fille, Isabelle, menue et délicate.

Camille avait maintenant vingt-trois ans, elle avait trois enfants, ce qui lui donnait droit à la carte de réduction pour famille nombreuse. Elle vivait comme une somnambule. Pour mieux éviter François elle s'était installée dans une chambre avec ses deux petites filles et déménagé le lit de Bernard auprès de celui de son père.

Les jours se succédaient, demain serait

comme aujourd'hui, elle n'attendait rien, la seule certitude, le seul changement : sa mort qui la faisait transpirer de peur.

François et elle ne parlaient jamais de l'essentiel. Elle pensait qu'il vieillissait et avait moins de besoins puisqu'il la laissait en paix. Lui, pensait qu'elle était paresseuse et négligente comme le sont souvent les femmes méditerranéennes. Ils se disaient bonjour et bonsoir, elle prenait son bras lorsqu'ils sortaient ensemble, il l'appelait « Chérie ». Leur ménage faisait l'admiration de tous.

François ne supportait plus les langueurs de sa femme. Il faut dire qu'elle avait beaucoup grossi et que la faiblesse lui allait mal.

C'est peu après la naissance de leur troisième enfant qu'il se mit à tromper Camille. D'abord il le fit pas nécessité, en se cachant. Il inventait des mensonges pour excuser ses rentrées tardives ou ses fatigues. Camille ne voyait rien, ne demandait rien. Puis cela devint un plaisir. Il retrouvait sa liberté, ses insouciances de célibataire, il retrouvait le goût de l'aventure d'un jour, de la conquête facile. Il s'occupait plus que jamais du groupe de théâtre des étudiants, il n'y manquait pas de filles et de jeunes femmes vivantes. La proche quarantaine lui allait bien.

Plus son mari la trompait, plus Camille — qui ne faisait rien pour le retenir — se recroquevillait sur elle-même. François n'inventait même plus d'excuses, il n'y avait plus aucune communication entre eux. Elle en souffrait mais ne faisait rien pour y remédier. Elle se trouvait laide et usée. Elle ne comprenait pas ce qui lui arrivait. Comment avait-elle pu en venir là? Elle qui avait élevé en partie ses frères et sœurs était incapable de s'occuper de ses propres enfants!

Dans la maison devenue beaucoup trop petite elle traînait ses pantoufles usées. Depuis longtemps François ne remarquait plus les petits efforts qu'elle pouvait faire, elle n'en faisait plus.

Plus Camille allait et moins elle savait vivre. Elle ne voulait pas perdre François et cependant elle faisait tout pour l'éloigner d'elle : son corps était lourd et mal soigné, elle fuyait son mari, elle avait peur qu'il parle un jour, qu'il dise : « J'en ai assez, cette vie avec toi ne me plaît pas. » L'existence sans François était inconcevable.

Vint alors une période médicale, elle alla consulter des spécialistes. Elle n'avait rien : rien au cœur, rien aux poumons, ni aux reins, ni aux intestins, rien! Les nerfs seulement, c'est-à-dire vraiment rien.

François lui conseilla de faire du sport. « Secoue-toi! Tu es trop enfermée. »

Mais le grand air lui donnait le vertige.

Les cieux, les arbres, les plantes, les gens qui rient, qui transpirent, tout cela lui donnait le vertige. Son univers se rétrécissait : le quartier, puis la maison, puis sa chambre. Peu à peu elle s'enfermait elle-même à double tour dans une terrible prison.

Elle vivait un cauchemar dans lequel elle tombait, tombait toujours sans pouvoir se raccrocher à rien. Mais pourquoi? Pourquoi?

Elle ne disait plus un mot et se regardait vivre avec horreur ayant même perdu le moyen de communiquer avec elle-même. Elle ne cherchait ni remède ni explication. Elle se croyait maudite, livrée à la mauvaise chance. Elle ne s'aimait pas et se comportait de telle sorte que les autres non plus ne pouvaient l'aimer.

Un jour la chute cessa, elle était arrivée au bout de sa dégringolade et ce qu'elle y trouva était ignoble : son corps mortel, décomposable, sa pauvre existence périssable, l'incertitude de tout ce qui vit, une seule prise : la mort.

III

CAMILLE Dubreuil vient de se réveiller. Elle regarde le mur d'en face à travers ses cils qu'elle a courts et rares. Elle écoute les bruits de la maison : les enfants, le mari et la vieille bonne qui dorlote tout ce monde. Camille Dubreuil pense successivement : « Ils m'ont réveillée à faire tout ce bruit » puis « Ce serait à moi de les dorloter » puis « Je m'en fous, qu'ils crèvent tous et qu'ils me laissent dormir ».

Donc, Camille Dubreuil a-t-elle pensé en dernier lieu : « Je m'en fous, qu'ils crèvent tous et qu'ils me laissent dormir. » Elle se tourne du côté des fenêtres et elle corrige : « Qu'ils ne crèvent pas mais qu'ils s'en aillent. »

Si elle fait cette correction, c'est qu'elle a peur d'attirer un mauvais sort sur sa famille. Elle a maintenant vingt-neuf ans, son fils a dix ans et ses filles huit et six ans. Comme le temps passe.

Les volets sont pleins, simplement percés en haut, d'un cœur bien régulier, fessu. La jeune femme est seule gardée par deux sentinelles, les deux cœurs en matin d'hiver, couleur de galettes mal cuites. Du gris et du jaune. Elle leur tourne le dos. Avant, les matins lui donnaient envie de vivre. Elle ne supporte pas les tristes aurores d'ici qui sentent le mazout.

Elle sort un peu son corps des draps douteux, elle se redresse et prend un flacon de médicament posé sur la caisse qui sert de table de nuit. Un comprimé. Le docteur a dit : pas plus de trois par jour. Elle attend, couchée sur le dos, face au plafond. Elle est attentive au cheminement du remède dans son sang. Elle étend les jambes, elle desserre les poings. Le calme vient, elle l'accueille dans ses épaules, dans son ventre et bientôt dans sa tête. Elle sait qu'elle va se rendormir, se reposer. Elle fait la planche sur son lit, sur ses draps sales, les jambes écartées, les bras en croix. La voilà partie pour une belle traversée. Elle dort. Son visage est paisible, sa bouche est entrouverte. Son corps est lourd mais il est souple. Il se replie autour de la charnière de la taille fine comme si le bras et la jambe gauche voulaient se toucher. On dirait un gros polichinelle abandonné.

Elle dort. Elle rêve et les images de sa

mémoire appartiennent à des racines coupées.

Camille fait un cauchemar. Elle est poursuivie par des chiens jaunes et blancs, maigres, méchants. Et ces chiens, c'est son père qui les lance contre elle. Au début, elle a pensé qu'elle n'avait rien à craindre de son père, que c'était un jeu; c'est lui qui la conduisait à l'école, le soir elle faisait ses devoirs avec lui, sur la table de la cuisine, il l'emmenait faire les courses au village, il la laissait s'amuser dans les montagnes de grains. Il a lâché les chiens contre elle et ce n'est pas de la rigolade. Elle court entre les rangs de vigne, dans la terre labourée qui s'effrite sous les pieds. Elle a peur parce que les chiens l'ont prise en chasse, elle a peur surtout de l'homme. Elle ne comprend pas son changement d'attitude. Elle se retourne parfois dans sa course et elle trouve qu'il ressemble à un Prussien de Hansi avec des jambes maigres, des yeux d'assassin, les poches pleines d'objets volés, les mains ensanglantées. C'est une peur ancienne qui fait battre le cœur, qui fait transpirer. Si elle arrive jusqu'à la petite forêt elle saura où se cacher, mais il faut grimper pour y aller et les grosses mottes humides de la terre qu'on vient d'ouvrir se disloquent sous ses pieds et ralentissent la course. Son père est là, de plus en plus près, qui excite les chiens. On dirait un Indien bariolé qui veut la tuer.

Le mauvais rêve la fait changer de position, elle essaye d'arriver au niveau de la conscience. Il n'est pas facile de reprendre pied quand on est sous l'effet d'un soporifique. Elle est là, boudinée dans un gros édredon mou et lourd et qui l'oppresse. Elle rame dans la vase, dans une eau épaisse. Elle sait, alors que les images et les impressions du rêve sont encore présentes, que ses paupières vont râper et irriter les globes souples et fragiles de ses yeux, sa langue colle dans sa bouche. Pourtant elle rame toujours, avec vigueur. Elle veut sortir du lac de l'hypnose. Tantôt elle est sur l'eau qui adhère comme de la boue, tantôt elle est sous l'eau, à bout de souffle et tous ses efforts tendent à lui faire atteindre la surface, qu'elle voit à l'envers, mouvante et argentée comme du mercure.

La voilà qui naît. Elle s'accouche elle-même des chiens et du tueur. D'abord le crâne puis le visage. Elle rejette sa tête en arrière pour dégager le cou et les épaules. Une fois les épaules libres, le reste est plus aisé; il est même assez agréable de garder un peu de sommeil dans les genoux.

Elle respire vite à cause de sa lutte. Elle se demande pourquoi elle s'est battue si fort. Elle retrouve les deux petits cœurs de sale jour. Tout compte fait, elle préférerait retourner aux peurs de ses rêves. C'était comme du cinéma. Elle n'a pas vu la fin du film. Peut-être que cela se terminerait bien, avec des rires et une fête et un grand bain dans la crique d'eau transparente où l'on voit des girelles brouter les algues courtes. Oui, retourner dans le sommeil, dans cette grotte où tout est possible.

Elle n'y arrive pas.

Toute la sorcellerie s'est remise en marche.

Elle est debout. Ses jambes sont lourdes. Pour marcher elle doit faire de grands efforts avec son dos et avec son bassin. Cette énergie dépensée fait battre son cœur à toute vitesse. Energie pour faire deux pas! Elle qui courait sur les plages comme une folle, elle qui montait dans les Alpilles à pied, sac au dos. Une loque, elle est maudite.

Prendre un bain lui fait du bien, se laver aussi. Frotter fort, enlever la poussière, la crasse. Brosser tout, nettoyer.

La vieille Maria a déjà regardé trois fois le réveil de la cuisine. Elle agrippe la rampe de l'escalier. Elle monte lourdement. Toujours monter et descendre les étages!

Elle ouvre la porte de la salle de bains sans ménagements.

« Oh pardon! tu étais dans ton bain... Si j'avais su...

— Maria, tu m'as fait peur!

— Tu sais l'heure qu'il est?

— Maria, tu m'as fait peur! Maintenant j'ai le cœur qui bat comme un fou.

— Le docteur a dit que tu n'avais rien à ton cœur.

— Laisse-moi Maria, je viens tout de suite. »

Maria est partie, Camille Dubreuil sort de son bain.

Elle dit que la mort ne l'effraie pas. Elle dit que la mort est comme une naissance : il y a un mauvais moment à passer et puis on est délivré, on flotte, on est libre, on est débarrassé du corps.

Elle dit tout cela, mais elle n'y croit pas. Elle parle comme un perroquet : sans comprendre ce qu'elle dit.

Elle n'a plus confiance en son corps. Elle ne sait pas ce qui s'y trame. Elle imagine toutes les plaies, tous les cancers. Elle essaie de participer au grouillement des cellules, au va-et-vient rapide du sang, à la chimie de la digestion, mais elle n'y parvient pas.

Son corps vit, elle aussi. Leurs vies sont différentes et pourtant elles sont liées l'une à l'autre de la manière la plus étroite. Elle a peur d'être obligée de subir la mort avec ce corps. Elle a peur d'assister à la putréfaction de sa chair, à sa liquéfaction et de rester enfermée dans une boîte plombée, avec des os, des lambeaux de viande pullulant de vers.

Elle ne doit pas penser à tout cela. Tous les gens sont faits de la même manière et s'accommodent de leur mort. Pourquoi pas elle?

Elle aime rire.

Les gens qui ont des idées comme les siennes, qui vivent comme elle avec une obsession absurde, on les appelle des fous. Elle ne veut pas être folle. Elle n'est pas folle.

Pendant qu'elle se sèche, elle pense qu'elle doit chasser ces images morbides. Elle se force à croire qu'elle n'a pas peur de son corps. Voilà, elle se met en face de la glace et elle se regarde, entière, nue.

Elle avait des seins comme deux globes et de longs membres lisses. Son ventre ressemblait à un cratère de la lune : pâle, mystérieux, creux. Elle allait dans la mer, d'un coup de reins, elle se faisait tourner sur elle-même. Tout était neuf et vigoureux. Quand elle courait dans les champs les fleurs claquaient contre ses chaussures et comme elle ne voulait pas entendre éclater leur tête sautait haut, d'une détente. Il lui semblait qu'elle pouvait sauter très haut, encore plus haut. Elle savait qu'elle était capable de faire des progrès, d'avancer, de battre des records; elle le sentait dans son corps. Elle oubliait les fleurs et elle bondissait pour bondir. Son but était de se surpasser, de faire plus qu'hier. Tout était possible, cela la faisait rire. Elle s'allongeait dans la prairie, elle regardait les fleurs de tout près : les attaches des pétales, du calice, des feuilles. Elle attendait que sa respiration se calme et elle repartait. Elle ne pensait jamais à la mort. Son corps était son meilleur ami.

Aujourd'hui, devant sa glace, elle voit qu'elle a vieilli. Il y a des plis, des boursouflures, de la peau qui ne colle plus aux muscles. Comme tout cela va vite. Elle n'est pas prête, elle ne saurait pas mourir. Elle veut sauter encore. Elle sent qu'elle le peut. Elle ne veut pas se coucher et respirer pour la dernière fois. Maria dit que l'âme s'en va par le nez et les oreilles. Et si l'on fermait le cercueil avant que toute l'âme soit sortie! A force de battre à ce rythme elle croit que son cœur va se casser.

Elle pense à son remède : pas plus de trois comprimés par jour. Un comprimé pour huit heures. Trois fois huit : vingt-quatre. C'est bien cela. Trois tranches de peur de huit heures chacune. Vingt-quatre heures plus vingt-quatre heures, etc., cela fait une vie. Le sang s'enfonce dans la bonne terre comme des racines. Tout à coup il n'y a plus d'heures et de division des jours et des années et des minutes. Il y a la mort qui ne se comprend pas, ne se compte pas, ne se calcule pas, ne s'estime pas.

Il faut qu'elle élève ses trois enfants. Elle se dit qu'il faut qu'elle élève ses trois enfants. En aura-t-elle le temps? Elle leur a donné la mort sans le faire exprès. Elle ne veut pas qu'ils s'en rendent compte. Il faudra qu'elle réponde bien aux questions qu'ils poseront. Elle ne veut pas qu'ils vivent son cauchemar.

Et puis il y a François qui n'y comprend rien et qu'elle doit prendre à la Sorbonne.

« A la bonne heure! Tu as bonne mine. Tu t'es bien reposée?

— Oui, ça va.

— Il fait beau tu ne trouves pas? Un bon coup de froid cela ravigote. Si on marchait un peu, la campagne n'est pas loin.

— Je n'en ai pas le courage.

— Pourtant tu aimais cela avant.

— Oui, mais là-bas, pas ici. Il faisait plus chaud, il y avait des choses à trouver, à regarder.

— Ici aussi. Je t'assure. Quand j'étais petit...

— C'est possible mais je ne les vois pas, je ne les connais pas.

— Apprends à les connaître.

— Je n'en ai pas envie. Je m'excuse. »

François s'entête : il veut faire marcher Camille. La voiture s'arrête devant un petit bois et comme le brouillard est dense ce matin on peut imaginer que le bois est une grande forêt pleine de mystères, inexplorée.

« Non, je ne marcherai pas. Je n'en ai pas la force.

— Fais comme tu veux, moi j'y vais. J'aime l'hiver à Paris. »

Il saute le fossé, fait une pauvre pirouette pour la faire sourire. Elle ne sourit pas. Il s'enfonce dans l'inconnu avec l'air dégagé de quelqu'un-qui-ne-s'en-fait-pas. Sa femme sait qu'il est inquiet à cause d'elle. Elle pense qu'elle est une mauvaise mère, une mauvaise femme.

Elle regarde le brouillard qui enroule lentement ses volutes. Il passe entre les arbres dont on aperçoit à peine, en levant la tête, les premières branches dépouillées et griffues qui le cardent.

François ne revient pas, il met des heures! Peut-être est-il caché derrière un arbre. Il l'épie. Il attend qu'elle se décide et alors ils marcheraient comme si de rien n'était. Ils feraient semblant de faire une bonne promenade qui durcit les muscles, qui dilate les poumons. Comme si de rien n'était. Comme si il n'y avait pas la mort.

Dans la voiture la lumière est étrange, les vitres ressemblent aux yeux blancs des aveugles. Et elle, la femme de François Dubreuil, elle est protégée, elle est à l'abri, à part. Il ne faut pas que cela se passe ainsi, elle veut être comme les autres. Il ne faut pas attirer l'attention sur elle. On doit la confondre, l'oublier, l'effacer. Elle ouvre la porte. Elle ne veut pas rejoindre François. C'est à cause de lui qu'elle est différente des autres : mauvaise femme, mauvaise mère. Elle va marcher sur la route, là où il faut marcher. Au moins trouvera-t-on son corps si elle a un malaise. Le fait d'avoir pris cette décision lui fait du bien. Elle doit se hâter de trouver de la compagnie pour se perdre. La route contourne le petit bois et tout de suite après, sur sa gauche, au loin, elle voit les lumières jaunes d'une auto qui avance lentement à cause de la brume.

« La route de Paris, s'il vous plaît?

— C'est plus loin à droite, monsieur.

— Merci. Vous voulez monter? Si vous allez par-là ce sera plus rapide en voiture qu'à pied.

— Volontiers, je suis pressée. »

L'homme conduit doucement, il a ouvert sa fenêtre et y passe toute la tête pour mieux voir la chaussée. Il marmonne :

« Paraît qu'à Londres c'est comme ça tous les jours.

— Il paraît même que c'est pire. »

Il ne s'occupe que de la route, il ne s'occupe pas d'elle et elle ne supporte pas cette situation. Elle veut parler à quelqu'un qui l'écoute.

Les maisons sont moins rares, le brouillard est moins dense, l'auto roule plus vite et croise d'autres voitures. Ce sont les faubourgs. Elle ne sait plus où elle est. Un groupe de lumières troue la brume. On dirait un bouquet de chrysanthèmes échevelés, de soleils irréguliers. C'est le terminus d'une station d'autobus.

« Je vous demanderais de m'arrêter ici, c'est ma station d'autobus.

— Comme vous voulez. Et pour Paris?

— Vous y êtes.

— Merci. »

A peine a-t-elle sauté dans l'autobus qu'il démarre. Il y a du monde à l'intérieur : des gens assis, des gens debout. Elle reste debout. A chaque arrêt, il monte plus de gens qu'il n'en descend, aussi après quelques stations, l'autobus est-il plein.

L'autobus roule et s'arrête, roule et s'arrête; à cause des encombrements, des feux rouges, des arrêts obligatoires. Camille Dubreuil sait qu'elle veut aimer son mari et ses enfants, mais la mort les éloigne d'elle. Elle les voit morts, elle sait qu'ils vont pourrir et cela lui serre le cœur très fort. Elle n'a pas le courage d'accepter leur mort. Elle a beau avertir François, il ne se méfie pas, il ne se prépare pas. Elle ne veut plus penser à cela. Elle doit parler, se manifester pour mieux s'amalgamer à la foule. Cette foule qui sera, dans cent ans au plus, un grand cimetière, un champ de tombes. Elle dit :

« Quel temps! »

Dans le tas, quelqu'un répond :

« Chaque année, c'est pire. »

Elle asquiesce, elle imagine tous les hivers parisiens glacés, aux arbres dépouillés. Elle chasse vite l'image d'un hiver ensoleillé avec des palmiers verts et une mer bleue. Maintenant, c'est fini, elle est dans le Nord avec des lacs gelés et des branches squelettiques.

Il faudrait qu'elle soit raisonnable. Mais il semble qu'il ne soit plus question pour elle d'être raisonnable. En elle grandit l'impression d'être dans une souricière sans savoir pourquoi elle y est. Il n'y a pas d'issue, elle ne peut pas échapper à la mort et la mort est un châtiment effrayant et absurde.

Dans cet autobus plein à craquer s'installent des odeurs de lainages mouillés, de pieds sales, de transpiration. Et puis les gens ne veulent pas parler, ils ne se lient pas facilement. Ils sont serrés les uns contre les autres et, pour Camille Dubreuil qui est oppressée parce qu'elle a les nerfs à vif, la situation devient soudainement intenable. Au prochain arrêt elle descendra.

C'est Montparnasse, il est midi et quart. Sur les trottoirs la foule va et vient alertement, à cause du froid. Pourtant, à intervalles réguliers, on croise un couple qui marche lentement, se soutenant mutuellement, presque enroulé sur lui-même, on croirait qu'il continue à jouer devant le public du boulevard une scène de passion et de tendresse commencée la veille dans une mansarde sans eau et sans chauffage. Il y a aussi, par-ci et par-là, des saris miraculeusement roses ou verts qui dépassent de vieux manteaux râpés, des dames qui promènent des chiens aux habitudes urbaines, et des gens qui s'engouffrent dans les terrasses, aujourd'hui closes et embuées, des cafés, comme s'ils entraient chez eux.

Camille Dubreuil s'arrête devant une

grande affiche. On y voit, grandeur nature une femme et un homme en costume de mariage. Ils se détachent nettement sur un fond de ciel éblouissant. Ils rient et se tiennent par la main. On comprend qu'ils ont trouvé la clef d'un bonheur. En bas de l'affiche on lit : « Commencez bien votre vie dans de confortables chaussures Untel » : ils sont heureux parce qu'ils sont bien chaussés. Elle se dit qu'il faudrait qu'elle parvienne à localiser sa peur pour la rendre supportable.

Pour l'instant, elle a peur de tout : d'elle-même et des autres, d'aujourd'hui et de demain et hier la pousse à grands coups de béliers dans la panique. Elle ne possède pas une âme de Jeanne d'Arc. Elle était comme tout le monde avec ses petites bouées de sauvetage, ses plages rassurantes pour reprendre le souffle. Et tout d'un coup plus rien, tout ce qui l'accueillait est maintenant détruit, tué, interdit. Elle en sait moins que ses enfants.

Soudainement, elle prend conscience de ses pieds qui ont chaud malgré le froid, qui la portent bien. Ils vont bien. Il y a une partie d'elle-même qui va bien, elle le sent. Elle se dit simplement : « Il y a plusieurs mois que je guette la mort. Ce sont des mois perdus puisque la mort n'est pas venue. Dans cet instant même je ne meurs pas. Alors, pourquoi ne pas en profiter. » Elle regarde le brouillard, les files de voitures, il lui semble qu'elle a le droit de se mêler à la vie des autres, d'en profiter. Elle peut parler, se déplacer. Elle a faim, c'est facile : elle entre dans une brasserie, s'installe, commande un menu qui lui plaît : œufs durs mayonnaise, gigot, bière. C'est la fête. Oui, il y a la mort et alors? Comme si elle tirait la langue aux maladies, aux pourritures, aux vieillissements. Elle pense avec une petite gêne à la boîte de comprimés qui est dans son sac. Elle n'en aura pas besoin. Ensuite, elle ira au cinéma, elle regardera les magasins et puis elle rentrera chez elle avec un grand sourire et des fleurs. Sa nouvelle bouée de sauvetage, c'est elle-même. Quelle surprise!

Elle agit comme une enfant : « On dirait que je suis une princesse, on serait dans un carrosse et puis on dirait que les bandits nous attaquent et on gagnerait! »

Est-ce vraiment à cause de l'affiche qu'elle n'a plus peur? C'est important d'être à son aise dans ses chaussures, il faut en être conscient.

Elle considère paisiblement les personnes. Tout à l'heure elle pensait : « Ils font comme s'ils n'avaient jamais entendu parler de la mort, ils marchent au bord du précipice sans essayer de parer la chute. Leur vie est une comédie, ils sont lâches. » Les choses ont changé, elle est comme eux, elle sait mais cela reste à l'arrière-plan, il y a d'abord des œufs durs mayonnaise. Tous ces gens sont des frères, ils possèdent tous leurs cadavres trop blancs et ils ont le courage de vivre avec eux. C'est tout.

Les œufs sont bons, ils sont moelleux, frais. Elle pense à la mer, au plaisir de nager. La nageuse tire sur ses jambes, sur ses bras, sur sa taille. L'eau pleine de bulles, masse chaque attache des muscles, leur donne de la souplesse, de la vigueur, elle caresse le visage, les seins, le ventre. La nageuse s'arrête, elle flotte; elle a le pouvoir de flotter sur la mer.

Camille Dubreuil boit une gorgée de bière et la voilà qui flotte dans la brasserie. Il y a des gens qui entrent avec leurs joues roses et le regard vif. Il y a le bruit des voix, celui des cuillères et des fourchettes. Il y a un homme qui vient s'asseoir près d'elle, qui commande son repas. Il a faim, il se tourne vers elle et dit :

« Est-ce que je peux prendre votre pot de moutarde?

— Je vous en prie.

— Je vous prends aussi un morceau de pain.

— Bien sûr. »

Il met un peu de moutarde sur son pain et

il avale le tout avec plaisir. Il sent qu'elle le regarde, alors il la regarde à son tour, un peu gêné. Ils rient.

« J'ai faim.

— C'est l'heure d'avoir faim. »

Elle pense à ses enfants qui déjeunent à la cantine, elle pense à son mari qui la cherche. Elle est déroutée, son cœur bat plus vite. Dans quelle souricière, mais dans quelle souricière est-elle entrée?

Le garçon apporte le gigot.

Ses enfants sont à la cantine de l'école et son mari ne la cherche pas. Ce n'est pas la première fois qu'elle part. D'habitude, elle marche et elle finit par rentrer parce qu'elle ne sait pas où aller.

Ce soir elle reviendra apaisée; elle racontera son histoire à François. Elle le fera rire en lui disant qu'elle a résolu ses problèmes avec une affiche de publicité pour des chaussures et une tranche de gigot. Peut-être qu'ils feront l'amour.

La première fois qu'elle a fait l'amour avec François c'était dans le petit bois en bordure de la garrigue. Cela sentait le thym et la résine des pins maritimes.

Elle en garde un souvenir étrange, l'impression d'avoir vécu en harmonie avec le monde hostile. Lui savait faire l'amour et elle connaissait les herbes, les arbres, l'ombre.

Elle avait su trouver le lieu frais, odorant et mystérieux qui convenait au garçon avec son sexe dur.

L'homme à côté d'elle boit un grand coup de bière. Elle croise son regard juste au-dessus du verre transparent qui se vide régulièrement. Quand tout le verre y est passé, elle se rend compte qu'elle a retenu sa respiration pendant tout le temps qu'il avalait. Maintenant, elle expire avec soulagement; il l'a vue faire et il rit.

« Ça va mieux! Vous êtes d'ici?

— De la banlieue.

— Moi, je suis du Midi et je suis monté à Paris pour peindre. Je fais le contraire des autres qui vont chercher la lumière dans le Sud. Une expérience, simplement. Je me sens bien. C'est bon de manger quand on a faim. Vous prenez un autre demi avec moi? Oui?

— Je veux bien. »

Il commande les demis. Il occupe toute sa portion de banquette. Son bien-être le rend accueillant.

« Et vous, qu'est-ce que vous faites comme métier?

— Je m'occupe d'enfants. »

Elle n'a pas menti et c'est venu tout seul.

« Ils sont à l'école alors?

— Oui, et puis aujourd'hui c'est mon jour de congé.

— Vous savez pourquoi je suis venu m'asseoir près de vous?

— Parce que c'était la seule place libre.

— Pas du tout.

— Alors pourquoi?

— Parce que vous aviez l'air heureux. De nos jours on ne voit plus que des têtes d'enterrement. Moi, je veux faire de la peinture gaie. Les gens croient que cela ne va pas ensemble. Je suis sûr que vous n'êtes pas de cet avis. »

Elle n'avait rien à répondre, elle n'avait pas l'habitude de ce genre de conversation. Elle s'entendit dire :

« Quelquefois j'ai peur.

— De quoi?

— Je ne sais pas... De la mort.

— Moi aussi, j'ai peur des fois.

— De quoi?

— Des bagarres de bistro. »

Décidément elle n'y comprenait rien. Les bagarres de bistro, cela peut s'éviter, mais pas la mort! Elle n'avait jamais imaginé que l'on pouvait mourir dans un bistro, à cause d'une bagarre.

Cet homme la déroutait.

Il parlait, il agissait en garçon. Elle le laissait tisser sa toile comme les araignées : entre deux branches, avec acharnement. Lorsque leur long et délicat travail est terminé, elles se retirent dans un coin et elles attendent avidement.

Tous les hommes fabriquent le même filet, à peu de chose près. L'un tricote un rang de plus, l'autre un rang de moins. Certains ajoutent quelques fantaisies à leur ouvrage. Aucun ne pense à camoufler sa toile tant ils sont persuadés qu'elle est invisible.

Elle le regardait faire, elle l'entendait et elle se disait :

« Je ne me laisserai pas prendre à son traquenard. »

En effet, elle ne se laisserait pas prendre et, à la longue, cela ennuyait le garçon. S'être donné tant de mal pour rien. Sans compter les demis par-dessus le marché. Elle le prenait pour Crésus ou quoi!

« Qu'est-ce que vous allez faire cet après-midi?

— Je crois que je vais aller au cinéma d'abord et puis je verrai. »

La catastrophe! Aller au cinéma! L'homme n'aimait pas cela. S'être donné tant de mal pour une fille qui va au cinéma, seule, et en matinée!

« Et qu'est-ce que vous allez voir comme idiotie?

— Je ne sais pas encore. »

Elle pensait à une comédie américaine. C'était ce genre d'images qu'elle avait envie de voir. Mais, à y bien réfléchir, ce garçon lui faisait le même effet qu'une comédie américaine. Elle pouvait rester avec lui.

« Que m'offrez-vous en échange?

— Vous pourriez venir chez moi. Je vous montrerai ma peinture et puis, dans la soirée, je vous emmenerai chez un ami, un autre peintre. Il a vendu une toile hier et il a invité des gens chez lui, ce soir.

— Ce soir il faudra que je rentre mais, pour l'instant, je veux bien aller voir votre peinture. »

Ils marchaient et lui la faisait rire. Il racontait ses déboires de Méditerranéen dans la capitale et comme il se croyait un grand peintre et comme il avait rencontré des gens médiocres et d'autres pleins de talent. Les rues se rétrécissaient et devenaient misérables. Les trottoirs gelés étaient plus clairs que d'habitude. Tout était d'un gris pâle glacé. Il y avait, dans les squares, des herbes blanches, en tas, qui ressemblaient à du céleri rémoulade.

« Je m'appelle Camille, et vous?

— Je m'appelle Sauveur. C'est un nom espagnol.

— Et vous vous laissez appeler comme cela?

— Evidemment puisque c'est mon nom. »

Il avait l'air de penser que les femmes

étaient idiotes de poser des questions pareilles et il avait bien raison : il ne faut pas donner d'importance à ce qui n'en a pas.

— Je n'arriverai jamais à vous appeler comme cela.

— Quelle idée! »

Cancer et cadavre apparaissent dans le brouillard, s'enroulent avec lui autour de Camille. Elle les avait oubliés et pourtant ils sont toujours en elle puisque le seul spectacle de ce quartier misérable les a fait sortir et danser. Le cœur de Mme Dubreuil se met à frapper. Elle ne sait même plus ce qu'elle fait ni où elle est. Elle ne veut pas mourir avec cet inconnu dans cette pauvre rue brumeuse. Elle voudrait appeler au secours, que son mari l'entende.

« Pourquoi souriez-vous? dit Sauveur.

— Je souriais?

— Vous ne le saviez pas?

— Non. J'étais fatiguée au contraire. C'est encore loin chez vous? Où sommes-nous?

— Nous arrivons à l'instant même devant le palais du génie de la peinture. »

Le cœur battait très fort, la peur revenait. Camille avait eu le temps de l'oublier, elle la retrouvait plus vivante, plus forte que jamais. Il n'y avait vraiment rien ici à quoi se raccrocher.

Les façades sales des immeubles tombaient abruptement sur de larges trottoirs fissurés. Dans ces hauts murs les trous noirs des fenêtres paraissaient s'ouvrir sur les plaies purulentes, sur l'agonie empestée.

« Donnez-moi votre main, vous êtes ma compagne du jour. »

La concierge avait, autour de ses jambes sèches, des varices gonflées et vertes qui zigzaguaient sous la peau tendue, semblables aux fleuves des cartes géographiques.

Le peintre et la concierge étaient des bavards : leur conversation rebondissait à propos de tout; cela n'en finissait plus. La femme avait pris appui sur son balai, l'homme sur le chambranle de la porte et ils se perdaient dans l'immeuble et dans le quartier. Ils étaient à leur aise.

Quand il avait dit : « Je prends votre main », il avait effectivement pris la main de Camille. Il avait intercalé ses doigts épais entre les doigts de la jeune femme et puis il avait oublié cela en parlant. Camille seule avec sa peur n'était plus attachée à la réalité que par l'écartèlement de ses phalanges. Elle craignait de se manifester et de le faire ainsi se détacher d'elle. Elle était consciente de l'absurdité de la situation. Elle n'aimait ni cet homme ni cette femme, ni cette ville ni ce pays. Elle se disait qu'elle ne serait plus jamais propre, que rien ici ne pourrait la laver. Elle se souvenait de l'orangerie embaumée, bien à l'abri entre les hauts murs que faisaient les cyprès. Elle aurait voulu courir vite, très vite, arriver là-bas. Ce souvenir lui faisait monter les larmes aux yeux. Sa mémoire lui donnait du bonheur, son imagination aussi car elle voyait nettement ses enfants qui couraient entre les arbres parfumés et dans les taches de soleil. Elle voyait précisément leurs visages et leurs gestes pour choisir une orange ou une mandarine : celle-là sera meilleure, non celle-là, il y en a tant. Et puis une ombre particulière, tout à coup, elle voyait le cimetière du village et la tombe de son père, blanc, sec. Là-bas aussi on mourait.

La concierge avait l'habitude de voir le peintre avec des filles et celle-là ne l'intéressait pas particulièrement.

Il y a les comprimés dans le sac de Camille. Elle fait des efforts pour se maintenir dans le présent. Elle revoit l'affiche et ces gens heureux d'être chaussés. Ses pieds vont bien. La circulation commence à se faire mal dans ses doigts trop serrés, mais c'est là une preuve que la machine tourne normalement.

Jusqu'à la naissance de ses enfants la mort n'était pas entrée dans sa tête. Avant, quand elle y pensait, cela ne voulait rien dire. Quand elle était petite fille elle n'aimait pas imaginer qu'elle deviendrait un ange, à cause des ailes qui poussaient dans le dos comme des membres; c'était monstrueux. Elle préférait se voir comme Mahomet sur un cheval ailé, volant au ralenti parmi les galaxies. Elle avait tendance à mettre sur le trône de Dieu le Charlemagne de *la Chanson de Roland* avec sa « barbe chenue ».

Charlemagne, Dieu, les anges, les galaxies, mais qu'avait-elle à voir avec tout cela! Pourquoi un destin aussi extraordinaire est-il réservé à tous les hommes? Elle ne se sentait pas faite pour mourir, elle n'en était pas capable, c'était un examen trop difficile. Elle se révoltait contre son entourage : pourquoi ne pas l'avoir prévenue plus tôt? Pourquoi éviter le sujet? Pourquoi lutter contre le cancer, lutter pour la vie alors qu'on veut lutter contre la mort? Pourquoi vivre comme des lâches, accumuler l'argent et apprendre aux enfants à vivre sans leur apprendre à mourir?

Mettre des gants blancs, ne pas manger le poisson avec un couteau, oui merci, non merci, baisser la tête à l'élévation, garder sa virginité comme un trésor, être coquette, respecter ses supérieurs et ses aînés. Ça, c'est important. Il faut que tout cela devienne naturel. C'est la vie. Depuis que Camille met cela face à la mort épanouie devant elle, elle trouve que cela ne fait pas le poids. Elle a perdu du temps, elle n'est pas prête.

Elle a, tour à tour, très froid et très chaud. Et les deux continuent à parler. Et cette situation absurde. Pourquoi n'avoir pas dit qu'elle avait un mari et des enfants et qu'elle cherchait un équilibre justement pour pouvoir les aimer comme elle le voudrait. Elle ne voulait pas fuir. Et sa main écartelée. Et sa peur de mourir.

« Ce qu'il y a de bien dans votre métier, monsieur Sauveur, c'est qu'au moins si vous ne gagnez pas beaucoup d'argent vous êtes libre.

— Vous avez raison, madame Motet, moi, je ne pourrais pas travailler à heure fixe. J'y resterais pas deux jours dans un bureau.

— Seulement vous n'avez pas la retraite et ça c'est quelque chose. Parce que les vieux jours sans argent, c'est pas drôle. Et je sais de quoi je parle, j'ai vu mourir ma mère, moi, monsieur Sauveur. C'est pas drôle.

— Oh ça, il ne faut pas y penser. Moi, je peindrai toujours et quand je ne peindrai plus c'est que je serai mort, alors, vous voyez...

— Dans un sens vous avez de la chance. »

La conversation est terminée. Il monte un étage, deux étages, trois étages, quatre étages, cinq étages. Le cœur cogne, il veut sortir de sa cage et se mettre à sauter par terre comme un gros crapaud. Sauveur frappe à la porte. Il y a donc quelqu'un chez lui? Ce n'est pas chez lui?

La femme qui ouvre n'est ni belle ni laide, elle a un regard clair. Comme beaucoup de femmes d'artistes elle porte autour du cou des colliers faits de fils de laiton ou de cuivre et de grains de café ou de perles irrégulières qui ressemblent à des noyaux d'olives sucés.

« Bonjour. »

Elle a dit bonjour à Sauveur et à Camille. Elle n'est pas étonnée et s'efface pour les laisser entrer.

« J'ai trouvé Camille à la *Coupole,* c'est son jour de congé. Elle n'a rien à faire alors je l'ai emmenée. Elle est sympathique, tu ne trouves pas.

— Très. »

La femme a dit cela en souriant à Camille. Son regard disait : « Sauveur est un enfant, je l'aime. »

« Tu as bien fait. Installez-vous.

— J'aimerais avoir un verre d'eau, s'il vous plaît. »

Camille s'est laissée tomber sur un grand lit creux couvert d'un lainage bariolé. Elle a pris le tube de comprimés dans son sac. La femme apporte le verre d'eau.

« Je m'appelle Dorothée. Vous avez mal à la tête?

— Oui, un peu. »

Sauveur ajoute :

« Et puis les étages après un bon déjeuner... Moi, j'en ai l'habitude. »

Ils ne s'occupent plus d'elle. Sauveur raconte à Dorothée tout ce qu'il a vu et appris, il se vante gentiment, il donne le menu de son déjeuner. Elle est occupée à raccommoder une chemise.

Camille a les yeux fermés, elle attend tout de son remède et n'est attentive qu'à ses effets sur son organisme. Mais pourquoi souffre-t-elle ainsi? Elle voudrait être comme tout le monde. Pourquoi n'est-elle pas avec ses enfants, chez elle? Comment peut-on traiter à la légère ce malaise qui vit chez elle, qui la fait suer de peur. « Oh, cela va vous passer. » Comme si c'était un petit rhume. Mais n'en ont-il jamais eu des angoisses! Est-elle seule à avoir peur de la vie, à avoir la sensation d'être entraînée par un courant violent qui la cogne partout et ne la laisse pas reprendre souffle. Vite, vite. Le temps ne s'arrête pas, pressons-nous d'aller vers la pourriture. Impossible de stopper les machines, il faut mourir. « Mais puisque je ne le veux pas, puisque cela me fait horreur! »

Elle a bougé, elle a tourné son visage

vers le mur où des toiles sont accrochées. Elle ne trouve pas cette peinture belle, mais cela l'intéresse, elle ne sait pas pourquoi. Elle ne peut pas dire que Sauveur est un peintre : elle n'y connaît rien, mais elle peut dire que c'est une personne, bien distincte des autres, qui a construit son monde de ses propres mains. Elle sent tout cela à travers les formes, les lignes, les taches des tableaux. Cela la rassure, elle va mieux. Elle est contente d'être chez Sauveur.

Dorothée parle dans son dos :

« Vous vous sentez mieux?

— Un peu, oui.

— Sauveur veut que nous allions tout de suite chez Hoffmann qui organise une réunion chez lui.

— Oui, je sais.

— Il dit que nous devons l'aider.

— Je crois que je n'irai pas. »

Sauveur s'est levé, il est grand et large.

« Ah ça alors, il n'en est pas question. Justement je veux que Hoffmann vous voie parce qu'il cherche un crâne. Le vôtre est beau, c'est rare un beau crâne et des oreilles aussi petites que les vôtres, ça ne court pas les rues. Hoffmann est très intéressé par les oreilles. »

Camille se met à rire, un grand rire qui détend la poitrine et l'estomac. Ça, vraiment, elle ne s'y attendait pas. Cette absurdité ne lui fait pas peur. Pourquoi?

« Je viendrais un petit moment, je vous aiderai à tout préparer et je partirai quand les autres arriveront.

— Pourquoi?

— Je ne suis pas très à mon aise au milieu d'étrangers. Je crains la foule.

— Vous croyez peut-être qu'on vous emmène dans un cocktail littéraire? Ce n'est pas le genre. Allez, en route les bonnes femmes et que ça saute! »

L'atelier de Hoffmann ressemble exactement à celui de Sauveur. Les toiles sont tournées contre le mur. Il y a une grande table, deux bancs, un lit dans une alcôve, un poêle qui ronfle et, en plus, un beau feu dans une cheminée de marbre, inattendue. Il y a une atmosphère de fête. On se croirait à Noël, pense Camille.

Hoffmann commence à s'intéresser au crâne et aux oreilles de Camille, il tourne autour d'elle en poussant des exclamations. D'autres amis sont là : deux jeunes femmes avec des visages étranges et l'uniforme des femmes d'artistes ou des femmes-artistes, couleur vert caca d'oie et marron, ornée de bijoux en grains de café ou en liège ou en fil de fer, elle sont aussi gentilles que Dorothée. Personne ne pose de questions à Camille qui se détend et bavarde tout en coupant des rondelles de saucisson et en beurrant des tartines.

Sauveur a sorti des bouteilles de beaujolais et des verres, et des tasses, et tout ce qui peut servir de récipient où l'on peut boire.

Camille se sent bien, elle voudrait téléphoner chez elle pour prévenir qu'elle rentrera tard.

« Où y a-t-il un téléphone?

— Dans la rue, le premier bistro à gauche. »

Elle descend, trouve le téléphone et la voix neutre de François au bout du fil.

« Allô, c'est Camille.

— Ah bon, je m'inquiétais.

— Figure-toi que j'ai déjeuné à la *Coupole* où j'ai rencontré un ménage de peintres qui m'ont invitée chez eux. Ils sont très gentils. Je suis avec eux, je vais peut-être, rentrer tard.

— Veux-tu que je vienne te chercher.

— Non, ce n'est pas la peine, d'ailleurs je ne sais pas l'adresse exacte. Je voulais te prévenir pour que tu ne t'inquiètes pas. Je prends un jour de vacances quoi!

— Tu as bien raison. Tu te sens bien?

— Très bien.

— Tu vois comme tu es capricieuse. Tu

n'es pas assez occupée, voilà ce que tu as.

— Avec mes trois enfants?

— Enfin, comprends ce que je veux dire. Tu dois sortir de chez toi.

— Bon, je verrai, je t'embrasse, au revoir.

— Au revoir. »

Elle a la permission, elle est en règle, elle remonte en courant vers l'atelier. D'autres amis sont arrivés, certains sont assis par terre autour du feu, d'autres se tiennent sur le lit. Dorothée est encore dans la cuisine. Camille la rejoint.

« Alors, tu restes? C'est Hoffmann qui a parlé.

— Oui, je reste. Mais, comme j'habite en banlieue, il faudra que je parte de bonne heure.

— Ne t'en fais pas, on trouvera bien quelqu'un pour te raccompagner. »

Si François voyait ça, Camille au milieu des rapins, se laissant tutoyer!

On a allumé les lumières, tout le monde a sa portion de beaujolais. Il y a maintenant d'autres peintres qui sont arrivés, d'autres poètes, d'autres artistes. Ils se connaissent. Camille est une amie de Sauveur, c'est donc leur amie, elle ne fait l'objet d'aucune curiosité.

Dorothée a préparé des brochettes que l'on fait griller à même le feu de bois, dans la cheminée. Elles sentent bon, elles sont délicieuses. Camille ne s'est jamais autant amusée, elle ne soupçonnait même pas que les adultes pouvaient être aussi gais. Comme tout est simple! La mort ne lui fait plus peur. Elle s'est assise par terre au coin de la cheminée. Sauveur n'est pas très loin, il parle avec le bel accent de chez elle, elle a de la tendresse pour lui. Il fait rire tout le monde et il engloutit tout ce qui passe à sa portée : brochettes, sandwiches, vin, fruits. De temps à autre Dorothée lui dit gentiment :

« Sauveur, modère-toi, il faut qu'il y en ait pour tout le monde.

— Mais ne t'en fais donc pas. Il y en a, il y en a plein pour tout le monde. »

Et il repart dans la narration des aventures de sa vie.

Un homme vient s'asseoir près de Camille, il a des pantalons de velours cotelé, une veste de tweed, une cravate noire. Elle ne l'avait pas encore remarqué. Il est architecte.

« Vous n'êtes pas comme les autres. Je ne vous ai jamais rencontrée chez les amis.

— C'est Sauveur qui m'a emmenée ici parce qu'il trouve que j'ai un beau crâne et de belles oreilles.

— J'en ai, effectivement, entendu parler. C'est la vérité. »

Il se met à parler de la beauté avec des termes de technicien qui amusent Camille. Il remplit les verres.

Hoffmann a retourné certaines de ses toiles et un petit groupe s'est formé autour de lui. Sa peinture ne plaît pas à Camille.

Elle se penche pour le dire tout bas à son voisin, elle ajoute très vite qu'elle n'y connaît rien. Par contre la peinture de Sauveur la touche.

« Sauveur sera un grand peintre, dit l'architecte, mais, si tout le monde écoute Hoffmann c'est qu'il a une technique supérieure à celle de tous ceux qui sont ici ce soir. Il n'a pas de génie mais il sait peindre. »

Ce que l'architecte a dit de Sauveur plaît à Camille qui a de la reconnaissance pour ce dernier. Elle a un peu trop bu et a tendance à trouver tout très beau et très bien. L'architecte a passé un bras autour de ses épaules, elle se laisse faire.

« Je m'appelle Alain.

— Et moi Camille. »

Ils continuent à bavarder, à boire, à regarder les autres. Camille se sent protégée, elle n'a peur de rien. Elle sait qu'elle va retrouver ses enfants tout à l'heure, elle racontera l'histoire à François, mais elle ne lui dira pas que l'architecte l'a gardée contre lui pendant longtemps. Il ne comprendrait pas, il verrait du mal là où il n'y en a pas. Pourtant lui-même...

La soirée se termine. Camille promet à Sauveur et à Hoffmann qu'elle reviendra les voir la semaine prochaine. Alain lui propose de la reconduire. Elle accepte.

Le froid fait du bien. L'auto roule dans des rues vides. Alain ne parle pas, elle non plus, mais ce silence n'est pas gênant, au contraire, il réchauffe comme le feu de bois.

La voiture stoppe devant la maison des Dubreuil.

« Est-ce que je peux venir vous chercher la semaine prochaine?

— Non, j'aime mieux vous retrouver en ville. A l'heure du déjeuner? A la *Coupole*?

— Parfait, à la semaine prochaine. Merci de cette soirée.

— C'est moi qui vous remercie. »

Ils se regardent en riant.

François n'est pas couché.

« C'est à cette heure que tu rentres!

— Pour une fois.

— Je m'inquiète pour toi. Au téléphone je ne pouvais rien te dire et puis j'étais un peu suffoqué, mais, en y pensant... Tu as perdu l'esprit!

— Pour l'avoir perdu, je l'ai perdu, mais

pas aujourd'hui. Parce que, à chaque fois que tu rentres tard ou pas du tout, tu estimes que tu as perdu l'esprit.

— Ce n'est pas la même chose... Partir avec des gens que tu ne connais pas!

— A vingt-neuf ans on sait ce qu'on fait!

— Camille, parlons franchement!

— J'ai sommeil et tu sais comment se terminent nos discussions : jamais tu ne conviens que j'ai raison.

— Ni toi non plus.

— Moi, je ne peux pas céder plus que ce que j'ai déjà fait.

— Et moi, crois-tu que je ne pense pas à toi et que je ne vis pas pour vous?

— Non, je ne le crois pas.

— C'est un peu fort.

— Quand tu me trompes, sous mon nez, avec toutes tes petites dames, tu crois que tu vis pour moi?

— Camille, soyons francs, tu sais quel est ton comportement à mon égard : tu m'évites. Je ne pouvais tout de même pas rester comme cela toute ma vie.

— Je ne t'évite pas. J'attends que tu viennes me chercher et tu ne viens pas.

— Je ne viens plus. Et puis...

— Et puis quoi?

— Je ne sais pas ce que je voulais dire. Le mieux serait de nous séparer plutôt que de vivre comme cela, à nous faire du mal. »

Camille éclate en sanglots. Elle ne veut pas se séparer de François. Elle ne veut pas faire l'amour avec lui, mais elle ne veut pas, non plus, vivre sans lui. Pourquoi? François la console.

« J'ai dit ça comme ça, mais tu sais que je t'aime. Tu sais que ces histoires de bonnes femmes n'ont aucune importance pour moi. Tu sais que j'ai besoin de toi. »

Il essaye de l'embrasser, elle n'en a pas envie, elle se laisse faire et, pendant ce temps, imagine par quel stratagème elle pourra éviter de faire l'amour ce soir. Elle pense : « Je suis fatiguée, si lasse, pourquoi ne me laisse-t-il pas tranquille? »

La semaine fut pluvieuse et Camille passa toutes ses matinées allongée sur son lit, la tête envahie par ses phantasmes morbides, à regarder les gouttes sur les vitres. Toujours une goutte, à cause de son poids, se mettait lentement en mouvement puis elle rencontrait une autre goutte, la descente se faisait alors plus rapide, elles rencontraient d'autres amies et la force de leur assemblée les entraînait en une dégringolade inévitable. Sans cesse Camille remontait ses regards vers le haut de la vitre pour suivre une autre aventure de gouttes. La pluie formait ainsi des chemins verticaux irréguliers qui draînaient l'eau vers une destination inutile!

La mort pouvait aussi bien être un squelette voilé portant faucille, qu'un ectoplasme informe, qu'un ogre ensanglanté, qu'un nain malfaisant, qu'un mouvement giratoire destructif, jamais ce n'était une amie ou, même, une présence supportable. Camille transpirait, prenait son remède et ses journées s'écoulaient partagées entre les mouvements rapides des pulsations de l'angoisse et ceux pesants des effets du médicament.

Elle pensait que seule la mort pouvait la délivrer de cette vie et elle avait de la mort une terreur épouvantable. Elle se sentait prisonnière, enfermée dans une souricière ignoble.

Le jour vint où elle devait revoir Alain l'architecte et Sauveur. Elle se dit qu'elle leur dirait la vérité : qu'elle n'était qu'une folle. L'aideraient-ils? ou bien se détourneraient-ils d'elle?

Elle annonça à François qu'elle passerait la journée dehors. Il la regarda partir triste et impuissant. Camille lui avait parlé de la mort mais il n'avait pu l'aider car cette crainte ne le touchait pas.

« La mort est une chose naturelle. Tout ce qui est dans la nature est à notre portée donc l'idée de la mort est assimilable et doit convenir à chacun de nous.

— Mais tu es inconscient, avait gémi Camille.

— J'avoue que j'y pense rarement, mais quand cela m'arrive je n'ai pas peur.

— Parce que tu ne regardes pas les choses en face.

— Je te demande bien pardon. J'aime mieux l'accepter que la craindre. De toute manière personne n'en sait rien, il n'y a pas de solution. »

Ce genre de discussion ne calmait pas Camille, au contraire et elle avait décidé de les éviter à l'avenir.

Le cœur de Camille battait très fort. Elle avait longtemps hésité à partir mais le calme de sa maison vide, la journée sans attraits qui commençait l'avaient poussée à se lever, à s'habiller. L'angoisse la rendait moite et maladroite.

« Je leur dirai que je ne suis pas normale, que je mène une mauvaise vie puisque je ne sais pas m'occuper de mes enfants et que je ne rends pas mon mari heureux. Peut-être me comprendront-ils. »

Elle ressassait toujours les mêmes problèmes, les mêmes images. Dans l'autobus elle s'était tassée dans une encoignure, elle se repliait sur elle-même, ses muscles étaient tendus, elle sentait ses épaules se hausser comme pour la protéger de quelque chose. De quoi? Ce matin le remède n'agissait pas.

Le voyage était long.

En s'approchant de Montparnasse elle se mit à penser à l'architecte. Elle avait honte de cette fugue et pourtant elle ne voulait pas rebrousser chemin. Elle craignait de ne pas le reconnaître. Elle y allait « pour voir ».

Alain l'attendait, grand, calme.

« Bonjour Camille, vous êtes ponctuelle.

— Oui, très.

— C'est le propre des gens équilibrés.

— Vous vous trompez, je ne suis pas du tout équilibrée.

— A bon? »

Il se moquait d'elle! Il la prenait pour quoi?

Camille, à l'intérieur d'elle-même, revendiquait son déséquilibre et se serait indignée si on lui avait dit que ses angoisses étaient un refuge, une lâcheté.

Alain la mit en confiance, elle lui raconta tout : sa vie, ses peurs, ses enfants son mari, son pays. Il l'écoutait attentivement.

« Il faut voir un médecin.

— J'en ai déjà vu, je n'ai rien, il m'a donné un calmant qui ne me fait plus rien.

— Il faut voir un spécialiste.

— Alors, en admettant que je ne sois pas vraiment folle, je le deviendrai. Ce n'est pas moi qui vais mal, c'est tout ce qui m'entoure qui ne me convient pas. Je ne suis pas faite pour mener la vie que je mène et je ne peux plus faire machine arrière. »

Après le déjeuner ils allèrent chez Sauveur et Dorothée puis se rendirent au cinéma pour voir un western. Dans l'obscurité Alain prit la main de Camille, l'ouvrit sur sa cuisse et la couvrit de sa propre main qui était large et tiède et ne bougea plus. La main de Camille était bien au chaud, protégée. Ils ne se regardèrent pas.

Durant le trajet du retour ils ne parlèrent guère. A un moment, simplement, Alain posa sa main sur la nuque de Camille non pas pour la caresser mais pour la rassurer, comme on fait à un enfant : « allons ce n'est rien, ça va passer. ». Camille en ressentit un si grand réconfort que les larmes lui montèrent aux yeux. Il faisait exactement ce qu'elle voulait voulait qu'il fasse.

Elle prit l'habitude de le voir une fois par semaine.

Camille parlait à François de ses sorties hebdomadaires, il ne les approuvait pas, il ne comprenait pas qu'elle restât chez elle à ne rien faire et à remâcher des idées noires, incapable de veiller à la bonne marche de la maison où à l'éducation de ses enfants alors que les jours de ses rendez-vous elle était levée de bonne heure, fraîche, pimpante et prête à partir. Il s'absentait de plus en plus souvent.

Camille s'était mise dans une impasse : elle voulait rester avec son mari et ses enfants et, en même temps, elle ne le supportait plus et les fuyait. D'autre part, lorsqu'elle se trouvait avec Alain qui l'écoutait et la prenait totalement en charge durant quelques heures, elle allait bien physiquement mais elle avait mauvaise conscience, elle se sentait coupable et pourtant elle ne faisait rien de répréhensible.

Elle sombra dans une mélancolie profonde, elle se trouva méprisable et responsable du malheur des siens et de l'atmosphère lourde qui pesait sur sa maison. Les enfants étaient devenus nerveux, ils pleuraient pour un rien, travaillaient mal, Bernard se mit à se ronger les ongles et la petite Isabelle recommença à faire pipi au lit. Maria, à intervalles réguliers, parlait de retourner au pays. François rentrait de plus en plus tard, souvent il buvait trop. Tout cela pesait sur les épaules et la tête de Camille qui était dépassée et se repliait encore plus sur elle-même.

Il n'y avait que ses sorties avec Alain qui lui convenaient, mais l'effet bienfaisant durait peu. A peine rentrée chez elle, elle étouffait, en voulait aux autres d'attendre tout d'elle, de ne pas l'aider, de la regarder par en dessous, à la dérobée.

François annonça un jour qu'il était invité dans une université américaine. Il devait y donner des cours de philologie pendant un an au moins, peut-être deux.

« Dès que tu te sentiras mieux, tu viendras me rejoindre avec les enfants. »

Il fuyait, il n'en pouvait plus!

Camille reçut mal le coup. Elle se prit pour le diable en personne qui détruit tout.

En rentrant de l'aérodrome elle s'enferma dans sa chambre et n'en sortit plus.

Maria s'occupait des enfants qui riaient en rentrant de l'école et faisaient tout ce qu'ils voulaient dans la maison.

Camille ne voulait même pas penser à Alain, elle se disait qu'il était la cause du désastre de sa vie. Sans lui, elle aurait su reprendre le dessus, elle serait partie avec François. Elle ne vit plus l'architecte. Elle se sentait coupable.

Elle passait sa vie dans sa chambre aux volets fermés, recroquevillée en chien de fusil sur son lit, grelottant d'anxiété. Tout, absolument tout était devenu absurde et mauvais. Elle savait qu'elle n'avait rien à attendre et, pourtant, elle ne faisait qu'attendre. Elle repartait en arrière dans les souvenirs de son enfance, elle s'attendrissait sur elle-même. Elle n'était qu'un pauvre animal incompris, rejeté, mal aimé. Maintenant elle était cernée par les autres, elle ne pouvait plus reculer. Voilà qu'elle était livrée, entière, à un rythme formidable.

Le remède ne faisait plus son effet depuis longtemps et la mort ne la quittait plus. Elle ne pouvait même pas regarder ses enfants car elle voyait, en même temps, leurs cadavres et c'était sa faute à elle si, un jour, ils ne seraient que viande pourrie.

Elle grelottait, tremblait, était saisie de vertiges effrayants. Elle ne voulait plus se nourrir.

Les lettres de François arrivaient régulièrement, elle ne les lisait plus et c'est Maria maintenant qui donnait des nouvelles des enfants.

Un jour la porte de sa chambre s'ouvrit lentement. Elle ne tourna même pas la tête pour voir qui entrait, pourtant elle savait que ce n'était pas Maria.

C'était Alain.

Il s'assit sur le lit et regarda longuement Camille. Elle avait les cheveux sales, ses vêtements qu'elle ne quittait jamais étaient froissés et poussiéreux, ses mains étaient serrées si fort l'une contre l'autre que les os des jointures formaient des amandes blanchâtres, son regard se perdait ou très loin au-dehors ou très profond au-dedans d'elle-même.

« Tu as peur? ».

Elle ne répondit pas.

« Tu ne veux pas me parler? »

Elle haussa les épaules et son visage resta fermé.

« Veux-tu sortir? »

Elle fit non de la tête. Elle pensait : « Il finira bien par foutre le camp avec sa santé et sa bonté. »

« Qu'est-ce que je peux faire pour toi? »

Les coins de la bouche de Camille s'abaissent : « Rien. »

Il se met à parler de Sauveur, des autres, des maisons qu'il construit, d'un immeuble pas loin de chez elle, il aimerait bien qu'elle vienne sur le chantier. Le regard de Camille est vague. Ecoute-t-elle? N'écoute-t-elle pas?

« Au revoir Camille, si tu as besoin de moi n'hésite pas à me faire prévenir. Tu sais où tu peux me joindre. Je tiens beaucoup à toi, tu sais. »

Elle a remonté plus haut ses genoux vers son menton. Il s'est penché pour embrasser son front, mais elle, d'un geste violent, lui flanque un grand coup de coude à travers la figure.

Elle reste seule avec sa culpabilité, sa responsabilité, son absurdité et la compagnie de son cadavre auquel s'adjoignent, selon les jours, les cadavres en décomposition des autres : de ceux qu'elle aime, de ceux qu'elle n'aime pas, des animaux, des plantes. Seule la mort existe.

C'est la faute des autres si elle vit, c'est la faute des gens et des choses si elle est comme elle est. Tout est hostile. Elle ne demandait qu'à être heureuse, à rire et puis... les événements, les personnes, le manque de soleil, tout l'a poussée dans sa chambre de torture. Elle n'a rien compris et, blessée à mort, elle blesse à son tour les autres tant ce monde est absurde, peuplé de solitudes inextricablement liées les unes aux autres.

Capricieuse, paresseuse, laide, grosse, incapable. Voilà ce qu'elle est. François a raison, les autres ont raison.

C'est Maria qui appelle au secours : elle téléphone à Alain :

« Allô Monsieur, ici c'est la bonne de Mme Dubreuil. Madame ne va pas du tout, elle ne mange rien, ne dit plus un mot, pendant des heures elle se balance comme une folle. Je me suis permise de vous téléphoner parce que vous m'aviez dit de le faire si on en avait besoin quand vous êtes venu l'autre jour.

— Vous avez bien fait, Maria, j'arrive tout de suite. »

Il est venu dans l'après-midi avec un autre homme. Ils entrent tous les deux dans la chambre de Camille. Elle est roulée en boule dans un coin de son lit et elle se balance d'avant en arrière, envoûtée par ce rythme, s'y livrant totalement.

« Camille, je suis venu te voir avec un ami qui est médecin. »

Elle continue à se balancer, elle fronce les sourcils comme si quelque chose l'irritait.

« Veux-tu te laisser examiner? »

Elle se contracte encore plus et cesse de se balancer. Le médecin dit à Alain :

« Laissez-moi seule avec elle. »

En bas Alain attend longtemps, plus d'une heure. Maria lui fait du café, elle pleure et essuie ses larmes avec le coin de son tablier.

« La pauvre Camille! La pauvre Camille! Si Mme Chaumont savait! Aïe, aïe, aïe. Et les petits! »

Le médecin descend :

« Si elle veut se soigner, elle sera guérie dans deux mois au plus tard.

— Mais qu'est-ce qu'elle a?

— Elle a une chose courante : elle a fait un choc post-puerpéral après son premier accouchement. N'étant pas soignée, son état dépressif n'a fait que s'aggraver au cours des autres grossesses. Chaque fatigue nouvelle, chaque contrariété n'a fait que l'enfoncer plus profondément dans sa dépression. C'est un cas classique de mélancolie.

— On en guérit? demande Maria.

— Très bien. Mais il faut se soigner. Ce ne sera pas facile avec Mme Dubreuil, elle est agressive. J'ai eu du mal à la faire parler. Vous m'avez dit que son mari était à l'étranger?

— Oui.

— Elle n'a aucune famille qui pourrait la convaincre? »

Maria pleurniche : « Personne, elle ne m'écoute pas. »

Alain sourit :

« Je vais m'en occuper. »

IV

LA plage est minuscule et descend en pente douce vers la Méditerranée. Elle est enchâssée dans une falaise où poussent, çà et là, des pins rabougris et des buissons de lentisque. On peut y accéder par un chemin périlleux ou, en nageant, par la mer.

Les vagues courtes du beau temps se pressent les unes contre les autres à perte de vue. Lorsqu'on laisse glisser le sable entre ses doigts on découvre des grains rouges, roses, verts ou noirs.

En séchant, la mer a laissé des gouttes de sel sur la peau d'Alain et des cristaux blancs au bout de ses cils.

Camille est installée à plat ventre, la tête à l'ombre d'un rocher et, de son index, elle fouille le sable et en extirpe des bouts de coquillage, de minuscules morceaux de verre aussi polis que des perles, elle les montre à Alain.

Au mois de mars, au lieu de voir la beauté du sable, elle n'aurait vu que la folie des tempêtes, que la destruction des rochers, que la corrosion du sel, tout le travail secret de la vie qui lui faisait peur parce qu'elle avait l'impression de ne pas y participer, d'en être la victime, le cobaye.

« Comme j'ai changé, comme je profite mieux de la vie.

— Tu as passé un sale moment.

— C'est vrai, je ne le regrette pas, mais j'aime mieux être à aujourd'hui... quel cauchemar! »

Elle s'est rapprochée de lui et Alain d'un mouvement tendre lui a offert son bras pour qu'elle y pose sa tête. Il s'est mis sur le côté et caresse la hanche de Camille, gentiment, comme pour la rassurer.

Ils n'ont pas besoin de parler, ils savent qu'ils pensent exactement à la même chose : la guérison de Camille.

Elle dit tout haut :

« Ce n'est pas une guérison, c'est une naissance : j'ai trois mois. »

Alain la rapproche de lui, il entoure ses épaules, on dirait qu'il veut la bercer. Il s'est donné beaucoup de mal pour elle, alors, maintenant, il tient très fort à elle. Camille sait que, sans Alain, elle ne s'en serait pas sortie.

« Tu te souviens quand je me suis mise à t'insulter?

— Tu n'y allais pas de main morte.

— Je te détestais de vouloir me faire sortir de ma chambre. Dieu sait l'horreur que je vivais dans cette pièce! Le reste me paraissait être encore pire.

— Le docteur m'avait dit qu'il valait mieux que tu prennes toi-même la décision de te soigner. Mais si je n'arrivais pas à te faire entendre raison on t'emmènerait de force. Je ne le voulais pas.

— Je n'avais aucun espoir. Je ne croyais en rien. Il m'arrivait de rester prostrée sur mon lit pendant des jours sans avoir d'angoisse importante. Je m'ennuyais, j'étais incapable de sortir de ma torpeur. Rien ne m'attirait, rien ne me distrayait.

— Tu avais un regard que je n'oublierai jamais, tellement loin de moi, tellement loin de tout. Il n'y avait que la voix de tes enfants qui te faisait un peu réagir.

— Les pauvres gosses, ils me faisaient pitié... N'en parlons plus. Viens, on va se baigner. »

Ils courent vers l'eau en riant, ils font de grandes enjambées comme le Chat Botté et ils se laissent tomber dans la mer transparente qui les rafraîchit, les délasse. Ils font la planche en se tenant par la main. Le soleil est si éblouissant qu'ils gardent les paupières fermées, elles forment un rideau rouge devant leurs yeux. Il y a l'eau qui les soutient, le soleil qui les caresse et leurs mains qui sont liées.

Camille, une fois rétablie, était partie chez elle, dans le Midi, en convalescence. Le médecin avait conseillé le grand air, le sommeil. Bernard avait justement terminé ses compositions de fin d'année, rien ne retenait plus les Dubreuil à Paris.

Alain lui écrivait. Il y avait entre eux de la tendresse, de la confiance et la certitude d'avoir accompli ensemble un acte important.

Elle n'oublierait jamais la joie d'Alain lorsqu'ils étaient sortis la première fois, après le traitement. Il était apparemment très calme, mais Camille sentait qu'il guettait toutes ses réactions : il doutait encore de son équilibre retrouvé. A la fin de la soirée, devant le bon comportement de Camille, il était heureux, il remarquait :

« Tu bois et cela ne te tourne pas la tête?

— Pas du tout. »

Plus tard :

« Tu ne te sens pas fatiguée, veux-tu que nous rentrions?

— Je vais très bien. Rentrons si tu le veux. »

Encore :

« Tu ris comme une enfant. Je ne t'avais encore jamais vue rire comme ça. »

Et le soir en la déposant devant chez elle :

« Est-ce que tu sens que tu vas bien dormir?

— Oui, je sens que je vais dormir comme un ange.

— Appelle-moi demain à ton réveil pour me dire comment tu te sens. »

Jamais personne ne s'était occupé d'elle de cette manière. Elle en était un peu gênée, mais finalement elle se laissait faire et cet intérêt lui devint indispensable.

Au mois de juillet, lorsqu'elle reçut la lettre d'Alain lui demandant de passer un mois de vacances avec lui, où elle voudrait, elle fut heureuse. Elle organisa son départ, expliqua à sa mère qu'elle allait passer un mois en Espagne avec « des amis ». Mme Chaumont était prête à tout accepter et à ne pas poser de questions, sa fille était devenue une étrangère bien-aimée. Maria lui avait tracé un tableau terrifiant de la maladie de Camille et elle ferait tout ce qui était en son pouvoir pour préserver son enfant d'une rechute. Bernard, Cécile et Isabelle avaient retrouvé des cousins et des amis, ils passaient leurs journées dans la garrigue à construire des cabanes sous le vieux cyprès, ils allaient chaque jour se baigner avec leur oncle Jean, ils étaient heureux, leur mère pouvait partir.

Elle retrouva Alain en gare de Marseille. Elle avait bonne mine, il était heureux. Après quelques jours de voyage, ils finirent par trouver un coin où se caser du côté de Malaga : un bungalow dans les pins. Ils se trouvèrent seuls l'un en face de l'autre et il fallut bien que l'explication qu'ils remettaient sans cesse au lendemain depuis Marseille eût lieu.

La pièce était vaste, blanchie à la chaux, avec une large baie ouverte sur la mer, des rideaux de toile jaune, un tapis de raphia tressé, deux fauteuils, un grand lit et une salle de bains.

« Camille, je ne t'ai pas attirée dans un traquenard. Tu sais comment les choses se sont passées : impossible de trouver deux chambres dans un hôtel comme nous l'avions fait jusque-là. Je veux que tu sois heureuse, je ne veux pas te contraindre à quoi que ce soit. Je t'aime, tu le sais.

— J'aime être avec toi, mais je n'ai pas résolu mes problèmes avec François. Je n'imagine pas mon avenir sans lui, mes enfants sans lui.

— Je ne te demande pas de quitter ton mari.

— Je ne l'ai jamais trompé.

— Il ne vit plus avec toi depuis longtemps. Combien de temps maintenant?

— Cela va faire un an le mois prochain.

— Il est loin d'ici... Je ne sais que te dire.

— Je ne suis plus comme avant. Cette décision à prendre ne m'effraie pas. J'ai l'impression de pouvoir agir sur mon propre destin, mais, dans quelle mesure, ai-je le droit d'engager la vie de mes enfants?

— Qui te parle de tes enfants?

— Moi-même! Ils subissent mes humeurs. Crois-tu que ma maladie leur ait fait du bien?... Je ne veux pas, maintenant, leur imposer une mère volage et un faux père!

— Faisons un pacte : disons que l'un préviendra l'autre quand il sentira que les choses vont trop loin. C'est surtout ton problème. Moi, je t'aime... »

Camille était assise au pied du lit et Alain se tenait debout devant la fenêtre, la tête baissée. Il y eut un silence très long. Le jour tirait à sa fin, un soleil rougeâtre éclairait la pièce.

Alain était grand avec des yeux dorés, de

longs membres et des cheveux noirs trop fins toujours en désordre. Camille le regardait, elle semblait le découvrir. Jusque-là elle n'avait remarqué que ce que ses yeux exprimaient : la bonté, la simplicité, la gaieté. Elle entendait les vagues qui battaient le temps comme une horloge : bientôt il fera nuit, une nuit espagnole chaude, vivante, avec des odeurs de jasmin et de friture.

Elle se leva, s'approcha d'Alain, passa son bras sous celui du garçon et regarda le paysage : les sommets aplatis des pins maritimes et, au-delà, la mer bleu foncé et rougeoyante au creux des vaguelettes à cause du déclin du soleil. Camille se dit : demain il fera du vent.

Alain délia son bras et le passa autour des épaules de Camille, elle se serra contre lui et ils regardèrent ensemble le coucher du soleil. La mer devint encore plus sombre et des plaques d'argent se mirent à miroiter de plus en plus nombreuses de part et d'autre du chemin de feu qui menait au soleil. Bientôt, le feu s'éteignit sur la mer et il ne resta plus qu'une grande plaine de velours et de platine.

La tiédeur d'Alain se communiquait à tout le côté droit de Camille, elle sentait son odeur de garçon. Elle trouvait qu'ils formaient un beau couple : tous les deux grands et solides. Cette simple constatation la rendait sûre d'elle et calme. La vie était belle et facile.

Depuis sa maladie, les réactions de Camille étaient devenues très différentes de ce qu'elles étaient auparavant. Elle avait l'impression d'être descendue dans un gouffre infernal au fond duquel elle avait vu des choses importantes. Elle était contente d'y être allée, elle se sentait initiée, mais elle ne souhaitait pas y retourner. Elle savait que le fait d'en être sortie une fois n'impliquait pas qu'elle n'y retournerait plus jamais et que, y retombant, elle saurait de nouveau trouver le chemin de la libération. Aussi elle était devenue plus égoïste, plus personnelle, elle décidait de ses actes, elle ne se laissait plus faire.

Là, contre Alain qui l'aimait et dont elle avait envie, elle faisait ses comptes : le plaisir qu'elle aurait à satisfaire son goût pour cet homme était préférable à l'abstinence dictée par les « bons principes ». Les rapports entre François trompé et Camille trompée seraient plus égaux qu'entre François volage et Camille vertueuse. Le dialogue serait plus facile à établir. Quoi qu'il en soit c'était la nuit, il faisait tiède, on entendait la mer, Alain était beau, au diable le reste!

Elle pesa plus fort contre Alain qui se mit face à elle et la prit par les épaules. Il regarda dans ses yeux, il y vit de la légèreté, du bonheur et l'envie de lui; il se pencha vers elle et elle ferma les yeux pour qu'il embrasse ses paupières. Le contact était doux. Comme elle avait bien fait!

Il était très tard, aussi décidèrent-ils d'aller jusqu'à Malaga où ils trouveraient un restaurant ouvert. Ils savaient bien qu'à l'hôtel ils auraient pu découvrir de quoi se nourrir, mais ils n'avaient aucune envie de rencontrer les habitants des autres bungalows, ils voulaient se mêler à la foule, continuer à être seuls tous les deux.

Or, à Malaga, c'était la grande fête du mois d'août. Dès l'entrée de la ville ils rencontrèrent des encombrements, aussi décidèrent-ils d'abandonner la voiture dans une ruelle et ils se dirigèrent ensuite vers le bruit et la lumière. C'était une chance cette foire, cette musique, ces gens, cette Espagne où l'on se couche tard.

Camille avait faim. Dès l'entrée dans l'enceinte de la fête elle acheta du nougat espagnol dont elle raffolait.

« Ça fait grossir; tout ça va aller dans mon postérieur et n'en sortira plus jamais. Tant pis, c'est trop bon. »

Alain riait, payait, guidait, protégeait. Tout autour d'eux se pressait une foule excitée.

Ils regardaient les loteries, les stands de tir, les marchands de sucreries et de colifichets. Ils traînaient en se tenant par la main, s'amusaient de tout. Ils restèrent longtemps à épier les clients d'une baraque. Il s'agissait d'un stand qui figurait, à l'intérieur, une pièce allongée garnie d'une fausse cheminée et d'étagères. Partout, sur les murs et pendant du plafond, il y avait des poteries : cruches, plats, assiettes, brocs, soucoupes, bols, etc., pour deux pesetas on avait droit à cinq boules de bois à l'aide desquelles on pouvait tout casser. Certaines grosses cruches qui n'avaient été que partiellement détruites pendaient encore du plafond et oscillaient lentement, des moitiés de plats offraient des cibles compliquées, des assiettes et des jarres toutes neuves attiraient les coups. La lumière provenait d'une ampoule unique qui pendait au bout d'un fil électrique couvert de crottes de mouches. L'éclairage était pauvre et jaune. A chaque courant d'air l'ampoule oscillait et faisait bouger, sur les parois de la baraque, des ombres incompréhensibles. Le propriétaire du stand se déplaçait avec lassitude sur un amas de détritus qui s'effondrait sous lui et rendait, parfois, sa progression tragique. Il allait chercher de l'argent, donnait les boules et remplaçait la vaisselle inutilisable. Les gens venaient par petits groupes, ils visaient, en général, ce qu'il y avait de plus gros, de plus beau, ils tiraient et si, par chance, ils parvenaient à casser la pièce maîtresse, ils se rengorgeaient et leurs amis s'esclaffaient. « Vous avez vu comment elle a pété la potiche! Formidable. » Un monsieur était là depuis longtemps; lorsqu'il avait épuisé ses cinq boules il en reprenait cinq autres et ainsi de suite. Il s'acharnait en silence, son regard était devenu fixe; c'est que ses enfants derrière lui en réclamaient encore et encore, il aurait fallu qu'il casse tout tout de suite. Lui, en était arrivé à un point d'excitation tel qu'il aurait brisé la baraque et tué l'homme qui remettait sans cesse des poteries nouvelles.

Camille se mit à penser à la mort, au goût qu'ont les hommes de tuer, au plaisir de la destruction. Elle frissonna. Alain la prit par le bras.

« Allons-nous-en. J'ai faim. Toi non?

— Oui, j'ai très faim... Tu as vu ces enfants qui excitaient leur père?

— Ils crèvent de misère. Ils ont besoin de se venger sur quelque chose. C'est une belle occasion. »

L'odeur de la friture les guida vers une partie de la foire réservée aux guinguettes. Il y en avait une quantité, les unes à côté des autres, chacune avec sa décoration tapageuse et sa musique.

Alain et Camille choisirent le bistrot au milieu duquel s'élevait un énorme platane.

L'arbre avait un tronc gris et beige et de magnifiques branches qui s'étendaient comme des bras et formaient, avec leur feuillage, une toiture verte percée çà et là d'ampoules de couleur qui donnaient aux feuilles des teintes rouges, bleues ou jaunes.

Ils commandèrent leurs repas et on leur apporta rapidement une grande cruche de sangria. Les glaçons s'entrechoquaient gaiement et, en tombant dans les verres, éclaboussaient de goutttelettes roses la nappe de papier.

Une estrade était installée au pied du platane. Trois musiciens bavardaient avec les clients, accordaient leurs guitares. Soudain, au milieu de rires et d'éclats de voix une femme monta sur la scène. Elle avait une robe en tissu ordinaire blanc à gros pois verts, volantée depuis les fesses jusqu'aux mollets.

Camille était ravie, elle se rapprocha d'Alain.

« Tu crois qu'elle va danser? Quelle chance! »

Les guitaristes commencèrent à jouer et quelques personnes de l'assistance à claquer des mains. La femme avançait à petits pas, la tête rejetée en arrière, balançant ses bras comme des algues, faisant sonner d'invisibles castagnettes, frappant l'estrade de ses talons épais. Un des trois musiciens se leva, c'était un homme assez âgé, vêtu d'un costume sombre, il se campa bien sur ses petits pieds et fit sortir une longue plainte de sa gorge, il agissait comme les chiens qui hurlent à la mort en tirant démesurément leur cou vers le ciel. La plainte aiguë cessait et le chant bien rythmé reprenait. La femme, ses cheveux gras et frisés éparpillés sur son visage, suivait la cadence parfois avec violence, d'autres fois avec la retenue d'une bête qui se concentre pour l'attaque. Il y eut un murmure, quelques exclamations, le chanteur hurla et un homme bondit devant la femme, tout petit, noir, les reins cambrés, les fesses rondes moulées dans le pantalon, les bras levés comme un toréador qui va poser les banderilles.

« Tu t'amuses Camille?

— Beaucoup, je n'en crois pas mes yeux. »

Alain s'était rapproché de Camille et avait pris sa main, il la caressait puis se penchait vers elle et commençait à l'embrasser derrière l'oreille, dans le cou.

Sur la scène l'homme et la femme continuaient à s'attaquer, à se narguer, à se séduire l'un l'autre.

Camille repoussa Alain :

« Laisse-moi! »

Elle était satisfaite, elle n'avait pas envie que cet homme la tripote. Qu'il lui fasse l'amour était une chose, mais qu'il se conduise en public comme un adolescent échauffé n'était pas la même chose. Elle voulait profiter du spectacle et de la nourriture.

Près de l'estrade, l'assistance claquait dans ses mains : tac et tac, tac et tac et tac et tac, tac tac tac tac tac, à contre-temps. Les castagnettes de la femme égrenaient des sons secs et rapides. Les guitares suivaient une mélodie remplie de vie et de beauté, comme une grenade bien rouge.

« Qu'est-ce que tu as, Camille?

— Je n'ai rien. Je regarde. J'écoute. Je ne peux pas faire trente-six choses à la fois. »

Après cette danse, il y eut d'autres chants, d'autres danses. Alain faisait renouveler le grand pot de sangria. Camille se sentait libre, légère, forte, épanouie. Elle regardait et en même temps elle était à l'intérieur d'elle-même. La paix, l'équilibre. Elle se sentait capable de vivre, il y avait une grande portion de bonheur et d'activité qui lui était réservée. Il lui semblait qu'elle commençait à peine à exister. Cela la faisait rire et la rendait avide de tout. Elle qui croyait qu'elle était dans une souricière! Elle était folle!

« Il est très tard. Si nous rentrions?

— C'est toi qui décides.

— Alors rentrons. »

Alain était gentil. Il aurait pu faire la tête. Au lieu de cela il était prévenant.

Ils ne dirent pas un mot durant le retour. Camille avait posé sa main sur la cuisse du garçon. Elle sentait, à travers le tissu léger, le muscle qui durcissait selon l'action du pied sur l'accélérateur. Elle se mit à le caresser. Elle regardait la nuit et elle laissait le désir prendre place dans son corps, dans le creux des cuisses surtout et dans les seins. Elle savait qu'Alain avait envie d'elle.

Ils se déshabillèrent mutuellement, en se caressant. Alain devenait le maître. Il la frôlait et lui faisait découvrir des parties d'elle-même qu'elle ignorait : le dos, les pieds, la saignée des bras.

Les jours passaient et Camille apprenait son corps qui devenait à la fois plus dur et plus souple. Alain avait doucement chassé d'elle la pudeur et la crainte. Elle savait maintenant comment ménager son plaisir et faire durer longtemps des jeux absorbants. Ils se séparaient en haletant, lui se mettait à plat ventre, elle restait sur le dos, les jambes jointes. Elle regardait Alain à la dérobée et se disait avec satisfaction qu'elle ne l'aimait pas. Alors elle tendait un bras vers lui et, du bout des doigts, effleurait ses reins jusqu'à ce qu'il se tourne vers elle et vienne la combler.

Sur la plage, elle se surprenait à marcher comme les danseuses espagnoles : le pubis et les seins en avant. Les hommes la regardaient, cela chatouillait son dos et la faisait sourire. Dire que l'hiver dernier son corps lui faisait peur, qu'elle le détestait!

« Quelle douche écossaise : il y a six mois, je vivais avec la mort et aujourd'hui je vis avec la vie. La vie la plus simple : faire l'amour, manger, boire, dormir et nager.

— Qu'est-ce que tu préfères?

— Ce serait idiot de dire que je ne préfère pas aujourd'hui et pourtant... C'est plus compliqué. Tu comprends, s'il n'y avait pas ma dépression, je ne profiterais pas tant de ma santé retrouvée. Et puis, je connais la mort... Tout se mélange. Les gens ne s'en rendent pas compte. Moi, oui, je me sens plus forte que les autres.

— Tu ne vas pas me dire que tu penses à la mort quand tu fais l'amour.

— Je n'en suis pas loin. Il y a une chose très grave, très importante, l'impression d'être toute-puissante... Je ne sais pas expliquer.

— Camille!

— Oui.

— Je veux que tu sois ma femme.

— Alors tu voudrais que j'aie deux maris!

— Ne te moque pas.

— Mais je ne t'aime pas, mon Alain et puis je ne veux pas divorcer. Pas avant d'avoir vécu avec François.

— Il y a des années que vous êtes mariés.

— Nous ne nous connaissons pas. Maintenant j'ai changé.

— Tu n'as pas beaucoup de prévenances pour moi.

— Si je recommence à mentir et à jouer la comédie je redeviens folle. Si je te fais croire à des choses qui n'existent pas, simplement pour te remercier d'être gentil avec moi, c'est foutu entre nous. C'est comme ça que ça c'est passé avec François. J'ai tellement évité la vérité qu'un jour je l'ai perdue complètement et il ne restait plus le moindre moyen de communiquer.

— S'il revient, tu feras l'amour avec lui?

— Bien sûr! Ça ce sont mes affaires, ça ne te regarde pas! »

Ils partirent pour Madrid. Alain la traîna au Prado : elle détestait les musées. Elle resta finalement deux jours dans les salles consacrées à Goya. Là elle comprenait tout : les couleurs, les formes, les mouvements. Cet homme connaissait la pourriture, la peur, l'horreur des viscères et aussi la tendresse, la danse, le désir. Il savait exprimer tout cela. L'envie prenait Camille de faire quelque chose, de communiquer.

Alain venait la chercher à la fermeture. Elle était éblouie par la lumière de l'après-midi madrilène, elle marchait sans parler, son bras passé sous celui d'Alain. Il y avait des vieux assis sur des bancs, des enfants qui couraient, des femmes grasses aux reins cambrés qui regardaient les hommes, il y avait des autos, des tramways, des bruits.

Vivre était la chose la plus importante à condition d'avoir une clef. La clef de Camille, c'était la mort. Cela impliquait que chaque instant était à considérer avec intérêt, chaque chose et chaque personne. Avant, elle vivait en se cachant, en évitant l'essentiel. La première faiblesse de son corps avait failli l'anéantir. Maintenant elle voulait se camper sur ses deux pieds, assimiler l'univers petit à petit, ne plus se laisser surprendre, comprendre. La moindre chose était importante et servirait à la construction d'elle-même.

Ils s'arrêtèrent dans un café.

« Il faut que tu me trouves du travail.

— Justement, j'y pensais. Nous avons un bureau d'études et nous cherchons souvent un rédacteur ou une rédactrice.

— Tu crois que je serais capable de faire ça.

— Bien sûr.

— Pourquoi penses-tu que je veuille travailler?

— Pour te distraire.

— Me distraire de quoi?

— Pour te changer les idées.

— C'est parce que je ne veux pas arriver devant la mort avec les bras vides et aussi, peut-être, parce que j'ai envie de faire profiter les autres de mon expérience.

— Tu es fatiguée, tu es restée trop longtemps dans ce musée. Je n'aurais pas dû t'y laisser.

— Je vais très bien, je me sens forte, je suis heureuse et je ne veux plus qu'on me regarde comme quelqu'un d'anormal. Je trouve même que je suis plus normale que les trois quarts des gens que je rencontre.

— Ah bon! »

Un matin, elle se réveilla avec un grand besoin de revoir ses enfants. Cela tombait bien : le lendemain, elle serait chez elle. Les vacances avec Alain étaient terminées.

De retour à Paris, Camille organisa sa vie. Elle changea d'appartement : elle vint vivre à Boulogne dans un immeuble neuf. Les enfants, dépaysés pendant quelques jours, retrouvèrent vite des amis dans leurs nouvelles écoles, ils partaient en groupes braillards, le jeudi, leurs patins pendant sur leur poitrine. Avec l'équilibre tout neuf de leur mère, ils avaient retrouvé les bonnes nuits et les jours d'école sans histoire.

Camille accepta le travail offert par Alain : elle était chargée de rédiger de petits textes publicitaires. Elle se plongea avec intérêt dans les potages en poudre, les yogourts et la lingerie féminine. Elle voyait beaucoup de personnes, elle était gaie.

Les enfants couchés et endormis, la nuit lui appartenait. Elle sortit avec Alain puis avec d'autres garçons. Elle aimait plaire. Elle voyait son médecin de temps en temps.

Elle prenait l'habitude de ne plus mêler son corps et sa pensée. Elle évitait de laisser la fatigue et le sommeil envahir son esprit. Sinon elle avait peur. Un simple rhume ou l'arrivée des règles et tout devient triste et impossible et incompréhensible. Plus jamais de ça, plus jamais. Elle voulait penser à la mort simplement. Les phantasmes absurdes et morbides de la pourriture étaient le produit d'un organisme normalement usé et s'usant, ils n'étaient pas tout. La mort, c'était beaucoup plus que cela. Elle se comparait sans cesse à une voiture : il y a le moteur et la carrosserie et puis il y a la vitesse. C'est la vitesse qui est importante, à quoi sert la voiture si elle ne va pas vite? C'est comme le corps, à quoi sert-il s'il ne conduit pas à la mort? La mort est nécessaire et importante.

Alain écoutait ses discours.

« Je me demande comment tu peux vivre en ne pensant qu'à ça à longueur de journée.

— Quand je pense à « ça » comme tu dis, je ne pense pas à mon enterrement, aux gens qui pleurent, à ma viande qui pourrit. Je pense à l'accomplissement de tout. Ma mort est la seule chose dont je sois certaine, la seule qui ne soit pas absurde.

— Vivre pour mourir, je trouve ça absurde et je n'aime pas y penser.

— Avant, je séparais les deux choses et c'était insoutenable. J'en ai perdu l'esprit. Maintenant je ne les sépare plus, je les accepte ensemble et ça me satisfait. Je ne vois pas le moyen de faire autrement.

— Et ton travail, ça marche?

— Ça marche très bien. Je commence à me sentir prête.

— Prête à quoi?

— A revoir François, à l'accueillir.

— Tu ne changes pas de disque.

— Je n'ai pas de raison d'en changer. Après tout, François n'a jamais vécu avec moi, il ne m'a jamais connue et, pourtant, c'est le père de mes enfants. J'attends sa surprise. Il ne se doute pas de ce que je suis devenue. Par lettre, ce n'est pas facile... Il n'y comprend rien.

— Tu crois qu'il va rentrer?

— Oui, je crois, à la fin de l'année scolaire.

— Pendant les vacances quoi! Et moi?

— Quoi, et toi?

— Oui, je sais, j'irai en Grèce.

— Je ne t'ai jamais menti, Alain.

— Non, c'est vrai. »

V

IL est agréable d'aller chercher quelqu'un à Orly la nuit. Il y a d'abord la ville mal éclairée, ensuite l'autoroute sur laquelle on glisse dans une lumière irréelle et, enfin, barrant le chemin, éblouissante comme un feu d'artifice, tiède : l'aérogare.

C'est important que l'avion arrive à 0 h 5. D'habitude on dit minuit cinq et c'est le même jour qui se déroule, qui va traîner jusqu'à deux heures du matin. Tandis que 0 h 5, cela prend l'allure d'une performance : on a tendu à bout de bras un nombre d'heures considérable, par exemple dix-sept heures, une bonne ration, et dans le même élan, voilà que l'on s'empare d'un nouveau poids : un nouveau jour. On se sent capable de vivre, on trouve que le corps est solide et que sa décomposition n'est pas pour demain.

« L'avion de New York est-il bien à l'heure, Mademoiselle, s'il vous plaît?

— Pas de retard prévu, Madame.

— Merci. »

Tout est en ordre.

Une pièce dans la machine et il en sort un ticket. Les escaliers roulants, le grand hall calfeutré. La voix féminine fabriquée et presque expirante dans le micro : « Départ à destination de Tokyo, du vol T.W.A. numéro... » la bonne femme n'inspire pas confiance, on dirait qu'elle prépare un coup en traître : « approchez mes enfants, n'ayez pas peur, tout se passera très bien... » Elle est initiée et Camille ne l'est pas. C'est agaçant. Les fauteuils sont confortables, il y a peu de monde. On se sent bien dans cet aquarium. Une demi-heure à attendre, juste ce qu'il lui faut pour se préparer à recevoir François.

Dans l'isolement du temple, dans l'ouate de l'insonorisation. Camille se récupère. Elle reconstitue le puzzle en attendant son mari. Elle ne pouvait pas le faire avant, il fallait qu'elle en arrive au dernier jour, à la dernière heure, à la solitude de l'aérogare.

« Arrivée en provenance de Rome, vol... »

Elle vit seule depuis des mois, depuis longtemps, elle s'est habituée à elle-même, elle a laissé pousser des manies, son égoïsme et aussi sa générosité. Elle est nouvelle et elle va retrouver François avec un élan tout neuf, avec un autre cœur et un autre corps. Elle lui offrira d'abord ses jambes bien bronzées et, surtout, comme le plus beau des cadeaux, une vraie gaieté qu'elle a bien cultivée. « Il va trouver une nouvelle femme pleine de santé et de goût de vivre. Il me découvrira et agira différemment puisque je ne suis plus la même. »

Oui, c'est bien cela qu'elle attend en ce moment : une nouvelle vie.

Nouvelle, nouveau, nouvelle, nouveau. Nouvelle existence, nouveau François, nouvelle Camille, nouveau couple.

« Arrivée en provenance de New York, vol Air France numéro... Arrival from New York... »

Est-ce bien cet avion? Oui. C'est bien l'heure, la compagnie, le vol. Mais elle n'a pas bien entendu le numéro de la porte d'arrivée. Sur le terrain d'atterrissage il y a des milliers de lumières, certaines sont bleues comme des méduses. Où est l'avion de François? Elle ne voit rien qui le distingue des autres. Il devrait être couvert des plantes de là-bas, de givre, des embruns de l'Océan. C'est impossible qu'elle ne le reconnaisse pas! Camille s'affole.

« Mademoiselle, c'est bien l'avion de New York qui vient d'être annoncé?

— Oui, Madame, les passagers seront là dans quelques instants.

— Par quelle porte sortent-ils?

— Voyons... porte 45.

— Merci, Mademoiselle. »

La porte 45 : un enchevêtrement de barrières, de portillons, la niche du douanier, celle du contrôle de police, derrière : une lumière jaune, des couloirs, une horloge rectangulaire où les minutes s'inscrivent comme des kilomètres sur le compteur d'une voiture.

Camille pense qu'elle aurait dû se recoiffer. A-t-elle le temps d'aller aux toilettes et de revenir? Oui, non. Tant pis, elle reste là, accrochée à la barrière comme au bastingage d'un paquebot. Le cœur se met à battre, les mains sont moites. Il y a maintenant beaucoup d'autres personnes qui attendent avec elle. Un groupe de voyageurs arrive par une autre porte. La demoiselle avait-elle dit la porte 45 ou bien la porte 35? Camille ne peut pas regarder partout à la fois. Et si elle allait rater François?

« Pardon, Monsieur, c'est bien quelqu'un qui vient de New York que vous attendez?

— Oui, oui.

— A bon, merci. J'avais peur de m'être trompée. »

Un homme arrive suivi d'une hôtesse de l'air et puis un couple. Ils étaient dans l'avion de François, Camille les regarde. Voilà encore une femme avec deux enfants; vu leur accoutrement, ce sont des Américains : pas beau, mais pratique et solide. Voilà tout un paquet de gens maintenant. Et François? Hop! la machine s'est arrêtée d'un coup, l'histoire de la solitude et de la construction de Camille est terminée : François est là. Elle voudrait être seule, se reprendre, elle baisse les yeux, elle a tout vu : il va bien, elle le trouve beaucoup plus beau qu'avant, ses cheveux grisonnent maintenant. Elle est intimidée. Elle relève ses yeux et rencontre ceux de François qui l'a découverte. Il sourit. Il est tranquillement occupé par les formalités. Elle se trouve laide, bête, gauche. Il y a sûrement quelque chose à faire et, pourtant, elle ne trouve rien dans sa tête, rien, elle reste accrochée à la barrière et sourit machinalement.

Il est là près d'elle, il lui donne un bon baiser sur le front.

« Ouf!

— Tu es fatigué?

— Non, pas le moins du monde. Mais tu sais que les formalités et les paperasses m'agacent. Il y a encore les bagages à prendre... Et les enfants?

— Ils vont bien, ils dorment. »

Ces phrases idiotes! Où est le chemin du rire, de l'insouciance? Où est le rêve qui les faisait courir l'un vers l'autre? Est-ce ce costume qu'elle ne connaît pas qui le rend étranger ou bien ces cheveux gris ou quoi? Elle ne s'attendait pas à le trouver beau.

« Tu as changé. Je te trouve mieux qu'avant.

— Pourtant, si tu savais ce qu'ont été les derniers jours avant mon départ! de la folie! je n'ai pas dormi depuis une semaine.

— Mon pauvre François! Eh bien tu vas te reposer, Paris est vide. Nous pouvons descendre dans le Midi si tu le veux. »

Il ne répond pas. Camille ne sait plus que dire.

Dans son imagination, la scène de l'aérogare est figée comme un instantané : François et elle tendus l'un vers l'autre, se touchant presque, se souriant. Puis les personnages se meuvent, s'embrassent longuement, s'enferment dans le spectacle de leur couple, de leur bonheur à eux. Les escaliers roulants les transporteraient comme des divinités précieuses, ils se regarderaient et trouveraient dans leurs yeux la beauté, la joie, la jeunesse, l'amour et une longue perspective de plaisirs calmes ou fous. Les gigantesques proportions du bâtiment seraient à la mesure de leur réunion, ils s'aimeraient dans la foule aussi bien que dans leur lit, avec leurs regards et le bout de leurs doigts.

Au lieu de cela, François parle d'un passé

qu'elle ne connaît pas, où elle ne sait pas se diriger, où il n'y a pas de place pour elle et dont elle se moque, finalement, parce qu'elle n'a rien à y faire. Bien sûr, c'est la vie de François avant, comme elle a eu sa vie, elle aussi. Mais cela ne l'intéresse plus. Ce qui l'intéresse, c'est maintenant et demain et après. Elle est avec son histoire à elle, sa vie avec lui, et le reste... trop long à reconstituer. Elle le questionnera plus tard lorsqu'ils se seront un peu rassasiés d'eux-mêmes, de leur vie toute neuve.

Il la regarde comme s'il l'avait quittée hier.

« Toi par exemple, tu n'as pas changé.

— Tu trouves! Pourtant tout le monde dit que... »

Dit que quoi? Elle ne sait plus. Et sa maladie, et Alain, et les autres, et son travail, et sa mort acceptée, cela ne se voit pas? Quel gouffre, quel cataclysme! Elle s'entend dire sur un ton geignard :

« J'ai été très malade. »

Elle qui voulait parler du soleil, de son activité, de son corps retrouvé! Rien ne se passe comme elle l'avait prévu, elle est désemparée.

« C'est fini maintenant. Un peu de fatigue nerveuse. Lorsque je suis parti tu n'étais pas à toucher avec des pincettes. Je vais prendre mes bagages et je reviens te trouver ici. Tu as l'auto?

— Oui, bien sûr, c'est une auto neuve.

— Eh bien, dis donc, tu ne te refuses rien! »

Il s'éloigne, il a dit ça sur un ton gentil, comme on parle à un enfant qui fait des caprices.

Camille s'assied, elle regarde ses chaussures, elle en pleurerait : il n'a rien vu.

Lorsqu'ils se retrouvent tous les deux enfermés, seuls, dans la voiture qui roule régulièrement, il y a des silences gênants. C'est elle qui dit :

« Tu n'as pas vu comme je suis bien bronzée?

— Je n'ai pas fait attention. Tu sais, on a beau dire; ça vous abrutit un peu ces voyages. Pourquoi? Tu es allée chez toi?

— Oui, deux semaines et puis, à Paris, je vais à la piscine tous les jours avec les enfants, il n'y a rien d'autre à faire au mois d'août.

— Tu t'ennuies, je croyais que tu avais du travail.

— Je suis en vacances. Je ne m'ennuie pas. Je voulais dire que c'est la meilleure chose à faire en ce moment, la plus agréable. »

Il lui prend la nuque et la caresse un peu.

« Toujours la même, ma belle Camille. »

Le bruit sourd et continu du moteur, la nuit dehors avec, à intervalles réguliers, les lumières qui passent du cru au doux, les bas-côtés qui courent. Tout cela ferme l'univers de Camille et de François, le réduit à leurs deux places et au siège vide de l'arrière. La confiance revient en Camille, elle a attrapé son papillon gris et vert, elle ne peut pas le contempler car son regard doit rester fixé à une trentaine de mètres au-delà du capot, mais elle peut l'imaginer, elle le revoit apparaître à l'aérogare, bouger les bras, la tête, les jambes, A elle, à elle : son mari, son homme. Elle sait la douceur de sa peau qui fait un contraste étonnant avec les poils rêches et enroulés sur eux-mêmes poussant sur le torse et au-dessus du sexe. Elle connaît sa cicatrice de la nuque et son visage d'enfant durant le sommeil.

Elle n'a jamais pu le saisir. Il venait vers elle quand il avait envie d'elle, le reste du temps elle ne savait pas où il était, ce qu'il faisait. Elle attendait qu'il l'appelle, elle ne bougeait pas, elle restait dans un coin blessée par toutes les tromperies qu'il lui faisait subir, elle ne se rendait pas compte qu'elle était devenue laide, détestable, avec ses éternelles fatigues, ses malaises, ses gémissements et ses peurs incompréhensibles. Quel temps elle a perdu! C'est pourtant si simple d'aller au-devant des autres, de faire le premier pas. Ainsi, en ce moment, si elle ne conduisait pas, eh bien elle poserait sa main sur la cuisse de François, comme elle le faisait en Espagne avec Alain, et il comprendrait qu'elle l'appelle, qu'elle pense à lui.

« A quoi penses-tu, Camille?

— A rien... enfin, je pensais à des choses, à nous.

— Tu pensais que nous aurions mieux fait de nous casser une jambe le jour où nous nous sommes mariés!

— Oh non! au contraire. Tu verras, j'ai changé.

— On ne change pas.

— Enfin, disons que tu ne m'as pas connue, que la femme que j'étais n'était pas moi. Je suis heureuse de te revoir. C'est important que nous soyons ensemble de nouveau.

— Plus je vais et plus je trouve que rien n'a d'importance. »

Auparavant ce genre de phrase plongeait Camille dans l'égarement. Ce soir, au contraire, cela lui plaît, elle se promet de longues discussions, des palabres, des mises au point. Maintenant elle a quelque chose à dire parce qu'elle est construite.

Elle regarde François à la dérobée, il est calme, ses yeux sont cernés.

« Tu es fatigué?
— Un peu.
— Pour que tu l'avoues c'est que tu dois l'être sérieusement. »

De nouveau la main de François sur sa nuque. Elle ne l'ennuiera pas, elle sera docile, elle le servira. Elle a envie de tout cela. Elle sent, à l'intérieur d'elle-même, l'harmonie possible entre François et elle et les larmes lui montent aux yeux. Pourquoi ne lui a-t-elle jamais dit qu'elle l'aimait? Le savait-elle seulement! Elle pense à la difficuté de changer de peau. Elle se conduit toujours comme l'adolescente qu'elle était. Elle se rend compte qu'elle vit à côté de son mari avec les odeurs de thym de la garrigue, avec la langueur de sa mère veuve, avec le souvenir, plus lointain encore, de son père qui lui enseignait la lecture et l'écriture et puis l'emmenait promener, après la leçon, en serrant fort sa petite main dans la sienne. Dans le fond, elle voudrait que François soit son père, sa mère, ses frères et sœurs, sa terre, c'est de la folie! Elle vit avec les rêves de son adolescence, elle est plus attachée à eux qu'à la réalité. Son désespoir vient du fait qu'elle n'est pas arrivée à faire entrer François dans son univers. Mais pourquoi n'en sortirait-elle pas? pourquoi n'entrerait-elle pas dans la vie de son mari au lieu de rester dans les collines du Var? Elle a, soudain, la certitude que le monde de François est plus jeune, plus vrai que le sien. Elle se prépare avec joie à y entrer.

Lorsqu'ils arrivent à la maison Camille est rompue, il est deux heures du matin. C'est au tour de François d'être intimidé par la nouveauté du cadre. Il s'assied au bord d'un fauteuil.

« Tu es mieux ici que chez nous?

— Oui, c'est plus pratique et puis, tu verras, on a une jolie vue. Es-tu heureux d'être de nouveau chez toi?

— A New York, j'avais un studio formidable. J'ai perdu l'habitude de vivre en famille.

— Tu ne l'as jamais beaucoup eue, cette habitude.

— C'est vrai, je ne suis pas un homme d'intérieur.

— Mais enfin, es-tu content?

— Mais bien sûr puisque j'y suis. Et toi, es-tu contente de me retrouver?

— Quelle question!

— Tu n'y réponds pas.

— Evidemment je suis contente. Tu manquais aux enfants. »

Il veut les voir. Les filles dorment si profondément qu'elles en sont livides, ça sent un peu les pieds dans leur chambre. Bernard, lui, a défait complètement son lit et il dort n'importe comment avec la bouche ouverte et un bras qui pend jusque par terre.

« Ils ont l'air en bonne santé.

— Ils vont très bien. Ils t'attendent avec impatience. Ce n'était pas facile de les coucher tout à l'heure... Tu veux un whisky, quelque chose à boire?

— Je veux bien un verre d'eau, si tu en as, et puis je vais aller me coucher. Ça commence à bien faire pour aujourd'hui. »

Camille est prise de court, elle est trop fatiguée pour parler, pour agir comme elle le voudrait. Pourvu qu'il s'endorme tout de suite!

Elle avait oublié les jambes un peu courtes, le dos large et bien musclé. Ils vont et viennent comme si de rien n'était. François sifflote dans la salle de bains.

Ce grand lit! Et le corps de Camille qui a pris l'habitude d'Alain et d'autres, qui ne sait plus ce qu'est François. Elle saisit un livre et essaye de lire le plus naturellement du monde.

« Qu'est-ce que tu lis?

— Oh rien, un roman policier.

— Madame se cultive à ce que je vois. »

Toujours ce ton aimable, comme si elle n'était pas responsable... Ils rient.

« Maintenant j'aime bien les romans policiers. Tu as beau dire que je n'ai pas changé... »

Il faudrait lui parler vraiment mais elle n'y arrive pas, elle est trop lasse.

Il se couche et, sans demander à Camille si cela lui plaît, il éteint la lumière. Dans les draps propres, un peu raides, qui sentent la lessive, il se rapproche de sa femme, palpe sa hanche d'une main de propriétaire et dit :

« Bonjour. »

Camille fait comme si elle riait un peu. Son esprit s'embrouille. La revoilà tout de suite dans le piège. Elle pense que c'est le mensonge qui l'y met, le manque de confiance, le manque de clarté aussi. Elle a envie de sortir un bras et de rallumer la lampe.

Elle voudrait savoir d'où vient cette incohérence. Cet après-midi, elle attendait François dans la fièvre, elle courait vite de chez le coiffeur à la maison, de la maison dans les boutiques, des boutiques dans les écoles. Lorsqu'elle est partie pour Orly tout était prêt : ses cheveux avaient la couleur préférée de François, le réfrigérateur était rempli de ce qu'il aimait, les enfants étaient propres et nourris. Elle voulait avoir François contre elle et maintenant qu'il y est, elle ne retrouve plus l'élan, pourquoi? mais pourquoi?

Son corps devient inerte, elle se laisse faire.

« Je te retrouve toute, tu n'as pas changé. »

Encore! Encore pas changée! Alors, pour lui, elle est toujours la larve dans sa chambre obscure, dans ses draps sales, vautrée sur le pourri, le puant. Elle entrouvre ses jambes pour laisser passer des fœtus mauves et mouillés!

« Tu te trompes, j'ai beaucoup changé, je ne suis plus la même.

— On ne change pas.

— Tu l'as déjà dit, je ne te crois pas. Alors pourquoi es-tu revenu? Tu fuyais la femme que j'étais. Pourquoi viens-tu la retrouver?

— J'ai du travail à faire ici. Et puis les enfants et toi cela compte dans ma vie. Je ne suis jamais parvenu à vous chasser de mon esprit. Je viens voir si c'est mon imagination qui me joue des tours ou si mon affection est réelle. »

Quel fouillis!

Ce n'était pas ces mots-là qu'elle voulait entendre. Elle voulait qu'il dise qu'il attendait la fin de la métamorphose, qu'il en guettait le jour, qu'il savait toute la richesse qui était en elle. Elle voulait qu'il soit occupé et préoccupé par elle. Et le voilà qui parle de la vie sans elle, de ses avantages et de ses inconvénients. Peut-être y a-t-il une possibilité de vie commune, peut-être n'y en-a-t-il pas. Il ne sait pas, il verra. Camille retrouve la sensation d'être livrée à une force inconnue qui la fait agir selon un rythme qui ne lui convient pas. Elle a envie de se débattre, elle ne veut pas qu'on l'étouffe! Mais alors, pourquoi ne se sauve-t-elle pas?

La main de François monte et descend le long du corps de Camille, s'arrête aux imperfections, comme pour les souligner. Elle ne le connaît pas, elle n'a jamais jugé ses gestes, ses mots, elle a toujours tout subi.

Il a la belle quarantaine avec des cheveux d'argent. S'il était plus long il ressemblerait à Gary Cooper.

Dans un jardin de Hollywood, Gary Cooper rencontre Camille, une Camille légère, vêtue de mousseline, avec un long cou et toute parfumée. Perdue, elle est perdue dans ce paradis.

« Vous êtes perdue, Mademoiselle?

— Oui, Monsieur.

— Vous ne ressemblez à personne, vous n'êtes pas d'ici?

— Non, Monsieur, je suis d'ailleurs.

— Quelle fraîcheur! »

Il la prend par le bras. Il est vêtu d'un spencer blanc. Il marchent lentement sous les palmiers et les daturas en fleurs.

François dit :

« Tu ne veux pas faire l'amour?

— Mais si, pourquoi demandes-tu cela?

— Parce que tu n'as pas l'air très enthousiaste.

— Penses-tu! Je suis un peu gênée parce que j'ai perdu l'habitude de toi, c'est tout. »

Pourquoi ne parle-t-elle pas?

Elle se tourne vers lui, pose ses deux mains à plat sur sa poitrine. Mentir! Mieux vaut mentir que de se refuser à lui comme avant et recommencer la vie d'étrangers qu'ils menaient. Demain, il fera jour, demain ils parleront et tout s'éclaircira.

Elle serre les paupières très fort.

Elle met quelques secondes pour retrouver le jardin de Hollywood.

Gary Cooper la prend dans ses bras.

Gary Cooper : voulez-vous m'épouser?

Camille : vous épouser?

Gary Cooper : oui, c'est le coup de foudre. Vous me plaisez comme jamais aucune femme ne m'a plu. Dites oui.

Camille : oui, caressez-moi.

Gary Cooper : laissez-moi enlever vos vêtements.

Camille : où est votre maison?

Gary Cooper : là, de l'autre côté de la piscine.

Ils entrent dans une maison dorée où

des rosiers grimpants poussent le long de colonnes qui montent jusqu'au ciel.

Gary Cooper : vous êtes douce.

Camille : vous me plaisez, laissez-moi caresser tout votre corps.

Elle découvre son corps velu et mâle. Ils sont étendus sur des peaux de bêtes. Elle l'embrasse, le mordille, le lèche. Il en fait de même. Des serviteurs aveugles apportent silencieusement des vases pleins de tulipes et des pièces montées ornées de premiers communiants en sucre filé. Les corps se meuvent semblables à des serpents et puis la jouissance arrive violemment comme un orage d'été avec ses éclairs, ses odeurs de terreau et sa grosse pluie tiède.

François dit :

« Il n'y a qu'avec toi que je fasse si bien l'amour. »

Camille a fait un mensonge important mais comme son corps est satisfait, son esprit s'en accommode. Elle va doucement, elle se méfie, elle ne veut pas retomber malade. Elle s'endort.

Le lendemain matin Camille est fatiguée : elle a à peine dormi. Les enfants se sont réveillés de bonne heure, ils sont excités.

« Votre père dort. Il a beaucoup voyagé.

Oui, il va bien. Non, je ne sais pas s'il vous a rapporté des cadeaux. »

François émerge vers 11 heures, sa barbe a poussé. Il a endossé la vieille robe de chambre rouge de Camille qu'il a dû trouver dans la salle de bains. Il est installé dans le salon. La reconnaissance avec les enfants est tout de suite faite, comme si tous ces mois n'étaient pas passés. Ils le servent, l'embrassent. Tout lui appartient ici : la femme, les enfants, les meubles. Hier soir, il n'était pas à son aise, il lui a suffit de faire l'amour avec elle, de dormir dans son lit pour que son titre de propriétaire soit revalorisé. Les choses sont en place, il ne pose pas de questions. Le temps sans lui ne compte pas. Il reprend l'histoire où il l'avait laissée. C'est simple, d'ailleurs il le dit :

« Je suis un homme heureux. Je n'ai pas de problèmes et je n'en aurai jamais. »

Camille est noyée par le sommeil. Elle prépare un bon déjeuner puis elle le sert. Ensuite elle envoie les enfants à la piscine. Elle va, enfin, pouvoir se reposer. Elle a envie de retrouver son lit vide d'homme, de s'arranger avec Gary Cooper qui la gêne pour l'instant et, alors, de dormir et de se réveiller toute fraîche et capable de se montrer à François telle qu'elle est devenue. François la suit dans la chambre. Il n'a pas retrouvé son rythme et traîne un petit peu. Il parle des Etats-Unis, de sa vie là-bas, de ses occupations. Camille essaye de parler d'elle-même, de son expérience, mais elle y parvient mal. Il l'écoute comme si elle donnait des nouvelles de parents oubliés. Elle se met à évoquer sa rencontre avec la mort, elle n'emploie pas les mots qu'il faut, elle est maladroite, on dirait qu'elle récite une leçon. François l'arrête :

« Tu as toujours été une philosophe refoulée. Laisse-toi vivre, crois-moi, pense à autre chose. Les femmes ne sont pas faites pour la philosophie. »

Toujours une barrière! Il faut cependant que Camille s'explique, qu'elle ouvre sa tête, son cœur, et si François ne l'aide pas elle n'y parviendra pas. Ce qu'elle veut par-dessus tout, c'est être heureuse, et l'être avec lui parce qu'elle l'aime et ne peut pas vivre sans lui.

Elle se sent impuissante.

« François, je t'aime. »

Il lève la tête, il la regarde d'une manière étrange et triste.

« Tu crois que tu m'aimes mais qu'en sais-tu?

— Je le sais, tu me manques, je suis amoureuse de toi.

— Eh bien! c'est quand même une

bonne nouvelle, il y a cinq ou six ans j'en aurais été fou de joie.

— Et pourquoi pas aujourd'hui?

— D'abord parce que je ne te crois pas et ensuite parce que cela n'a aucune importance. Tu veux m'asservir, tu veux vivre avec moi comme tu vivais dans ta province où tu étais la reine, où tu étais le centre d'intérêt de toute la maison.

— Non, non, je veux te servir, je veux t'obéir, je veux t'écouter.

— C'est une idée que tu te fais. Tu es obstinée, tu veux gagner. Que sais-tu de la vie? »

Il faut qu'elle lui jette un seau d'eau en pleine figure. Il faut qu'il se rende compte qu'elle n'est pas ce qu'il croit.

« J'ai vécu avec un autre homme, j'en ai connu d'autres.

— Et alors?

— Alors, je ne les ai pas aimés, je n'ai jamais eu envie de vivre pour eux, leur gentillesse ne me suffisait pas.

— C'est qu'ils étaient gagnés à ta cause, ils étaient tes esclaves au départ. C'est pour cette raison que tes enfants ne t'intéressent pas. Quoi que tu fasses, ils t'aimeront jusqu'au jour où ils te jugeront. Ils commenceront alors, peut-être, à t'intéresser. Tandis que moi, c'est autre chose, je ne veux pas me laisser dominer par toi et tes comédies. Je me doutais qu'il se passait quelque chose. Tu as bien fait, on ne peut pas vivre seul.

— Quelle triste image tu as de moi. Je ne me reconnais pas. Ce n'est pas pour les raisons que tu dis que je t'ai trompé.

— Et alors pourquoi?

— Pour être sur un pied d'égalité avec toi, pour ne plus te reprocher tes tromperies à toi et aussi parce que j'en avais envie et que je pensais pouvoir te remplacer.

— Tu vas toujours aller chercher midi à quatorze heures. Mais laisse-toi aller, bon dieu, profite de ce qui se passe. Puisque tu veux m'aimer, aime-moi tranquillement. Ne fais pas de drames, je ne les supporte pas. »

Si Camille le pouvait, elle le secouerait, elle hurlerait pour qu'il sorte de son calme, pour qu'il lui dise une tendresse.

« François, la vérité c'est que tu ne m'aimes pas!

— Encore des grands mots. Je pense que je n'ai jamais aimé personne mais, de toutes les femmes que j'ai connues, c'est à toi que je tiens le plus.

— Pourquoi m'as-tu épousée? »

Il rêve, il doit revoir le Var, la maison des Dubreuil et celle des Chaumont, les jeunes seins de Camille reposant sur le sable et puis la nuit dans le petit bois sur la colline. S'il se rappelle de tout cela, Camille est sauvée.

« Parce que tu étais la fille de ton père, c'est l'homme que j'ai le plus admiré dans ma vie : courage, intégrité, délicatesse. »

Camille est déçue. Enfin, il a dit qu'il la préférait aux autres. Il lui a donné un petit os à ronger. Elle s'en empare, elle s'agenouille près de lui et pose sa tête sur ses genoux. Il caresse machinalement ses cheveux.

« J'avais tellement peur que tu sois lié avec quelqu'un là-bas. J'avais peur de te perdre, j'ai tellement envie de vivre avec toi. Si tu savais comme je t'ai attendu les derniers jours! Si vraiment rien ne t'attire ailleurs, nous allons être heureux. »

Elle se redresse, elle le regarde bien dans les yeux et puis elle embrasse ses mains.

« Tu verras ce que je suis capable de faire, tu verras. Il faut que les choses soient claires entre nous.

— ... Je ne comptais pas t'en parler aujourd'hui, mais, puisque nous sommes sur se chapitre et puisque tu veux que les choses soient claires, il faut que je te dise une chose qui m'embête.

— Quoi?

— J'avais trop de travail et pas le temps de courir à droite et à gauche. Alors j'ai vécu avec une fille très gentille et... figure-toi qu'elle est enceinte. »

Camille a envie de vomir. Un enfant! un enfant de François! Mais, c'est elle qui les fait, personne d'autre!

« Et que comptes-tu faire?

— Rien. Je ne peux rien faire, elle veut le garder. On ne peut pas être plus royaliste que le roi. C'est une fille épatante. J'espère qu'elle se remariera, enfin, pardon, qu'elle se mariera. »

Et il rit comme un gentil polisson.

Tout vacille.

L'enfant vient de naître. Le corps de la femme est libéré, son ventre est plat.

« Découverte des mains minuscules, des petits pieds, du visage imprécis. Et là, au coin des lèvres, à la naissance du nez, à l'attache des doigts, une certitude : le nez de François, ma bouche, les mains de François. Cet enfant à peine né qui est à nous deux! Tous les souhaits que l'on fait, tous les vœux, tous les désirs : il sera heureux, il sera libre, il sera beau. Tout ce que nous n'avons pas fait et dont nous sommes privés, il le fera, tout ce que nous ne possédons pas, il l'aura. C'est facile quand on prend les choses depuis le commencement!

« Il bouge, il ouvre ses paupières. C'est parce que nous avons fait l'amour, François et moi, qu'il est là aujourd'hui. Quel jour? Dans quels draps? Est-ce que nous avons pris un grand plaisir cette fois-là?

« Et voilà qu'une autre a pris ma place, c'est elle qui va reconnaître bientôt sur le visage de son bébé, sur son corps, les marques de François. C'est elle qui va essayer de se rappeler quel jour? dans quels draps? C'est parce qu'il est entré en elle, c'est parce qu'il l'a fécondée, lui, qu'elle a un enfant dans son ventre. »

Ce n'est pas la jalousie qui fait souffrir Camille, c'est une plaie essentielle, profonde, qui la tourmente, c'est une privation, un vide, comme si on l'empêchait de voir ou de respirer.

Et cette femme qui est-elle pour lui faire mal ainsi? Est-elle importante? Sait-elle ce qu'elle a pris à Camille? Sait-elle qu'elle ampute son enfant en le faisant naître sans père?

François ne s'est pas rasé, ses traits sont tirés. Camille voudrait mettre sa tête sur son ventre et pleurer. Elle voudrait qu'il dise que ce n'est pas vrai ou, au moins, pas sûr.

« Tu es certain qu'elle est enceinte?

— Certain : elle a vu un médecin. Elle l'a voulu, qu'elle le garde! »

Camille s'allonge, elle ferme les yeux. Elle aime François. Non seulement elle l'aime, mais elle est amoureuse. Il faudrait qu'elle le lui dise.

« Tu l'aimes cette fille?

— Non. Je la respecte, j'ai de la tendresse pour elle, mais je ne l'aime pas. Elle était gentille et puis... Elle était toute jeune.

— Moi aussi j'étais toute jeune quand on s'est mariés. Ça passe. Ce n'est pas une raison pour...

— Pour quoi?

— Je ne sais plus ce que je voulais dire.

— La jeunesse ça passe, c'est vrai, mais quand on l'a sous la main, c'est bon d'en profiter. »

Il a un rire lubrique. Camille a peur. Il s'approche d'elle et lui tapote les fesses.

« Hein ma Camille! On ne peut pas reprocher à quelqu'un de profiter de la vie? C'est sans importance, cette histoire. D'ailleurs plus je vais et plus je trouve que rien n'a d'importance. Tu ne trouves pas?

— Non, je ne trouve pas. Il y a des choses qui ont de l'importance.

— Par exemple?

— La vie, la mort.

— Pas plus que le reste. Ce qui compte le plus, c'est d'être soi-même. »

Si Camille était elle-même, maintenant, elle mettrait ses bras autour du cou de François et elle se laisserait bercer jusqu'à ce qu'elle oublie tout, jusqu'à ce que son tourment soit passé, jusqu'à ce qu'elle n'ait plus mal.

Les enfants rentrent de la piscine, l'après-midi est terminé. La famille se met à table pour le dîner. Gary Cooper est invité. L'Américaine enceinte aussi. Camille n'en peut plus.

« Tu as toujours ta mauvaise santé!

— Moi? Mais je suis forte comme un Turc. Seulement je n'ai pas dormi.

— Ma pauvre Camille, tu n'as pas de chance.

— Mais si j'ai de la chance, je vais très bien je t'assure.

— Aux Etats-Unis, j'étais dans une forme! Je travaillais vingt heures par jour. Tiens, pendant plusieurs mois, j'avais mes cours qui me prenaient toute la journée depuis 8 heures le matin jusqu'à 6 heures de l'après-midi. Puis je répétais le spectacle de la rentrée de Pâques et je jouais le soir — tu sais, je t'avais dit que j'avais accepté un petit rôle pour m'amuser —, je me couchais vers 2 heures et à 8 heures j'étais à l'université. J'aime ça. »

L'Américaine enceinte se lève, elle caresse le visage de François, il la regarde avec tendresse. Gary Cooper est mort. Camille ne veut pas qu'un mort la caresse, alors elle reste seule.

L'Américaine enceinte s'installe chez Camille, elle a touché à tout ce que François a rapporté. La maison en est pleine : les cadeaux des enfants, les livres, le linge, les vêtements. Elle attend un bébé, la pauvre, on ne peut lui taper dessus, la chasser. Camille n'a pas de prise sur un nourrisson, il n'a rien fait pour être là et puis c'est le frère de ses enfants. Elle décide que ce sera un garçon et qu'il ressemblera à Bernard.

Elle se couche le soir, harassée, avec l'Américaine qui a une chemise de nuit transparente ornée de dentelles. On voit son ventre légèrement bombé et ses beaux seins à la peau bistre. Elle dit à François :

« Regarde comme la grossesse va bien à mes seins, ils sont gonflés. Caresse-les. »

Les gros seins roses de Camille s'affaissent de chaque côté de son buste. Elle les couvre. Elle a envie des caresses que son mari fait à l'autre.

François parle de l'éducation des enfants qui a été mal faite et qu'il a l'intention de prendre en main dès demain. Camille écoute, elle se sent responsable de tout. Si son mari a trouvé une autre femme, si ses enfants sont mal élevés, c'est sa faute. Elle a honte de ses vacances en Espagne. Elle est égoïste, elle n'a pensé qu'à elle. Elle n'est pas capable d'avoir un mari et des enfants.

François vient vers elle. Elle voudrait fuir,

mais elle ne doit pas fuir sinon l'Américaine viendrait en profiter immédiatement. Il faut qu'elle trouve, vite, en elle un déclic qui fera qu'elle se laissera aller. Gary Cooper est un cadavre et puis elle n'en est pas digne, il était trop beau. Alors qui, vite! Quelqu'un qui ne la jugerait pas, l'aimerait comme elle est, sans réfléchir, avec ses gros seins : un animal, un grand chien qui la reniflerait avec admiration, qui la préférerait aux autres. Oui, c'est ça, un chien avec pénis rose et pointu qui trembloterait au rythme des halètements.

Elle transpire, elle se laisse faire.

Camille ouvre ses yeux sur la nuit. François ronflotte.

La réalité, c'est maintenant, ce n'est pas l'Espagne quand elle marchait saine et fraîche sur les plages.

Les jours passent et l'Américaine devient de plus en plus présente. Au début, Camille attendait d'être seule pour fouiller les affaires de son mari, maintenant elle le fait même lorsqu'il est là. Elle guette les moments qui l'immobilisent dans la salle de bains ou aux petits coins et, fébrilement, elle fouille tout : les vêtements, les dossiers, la serviette. Elle sait ce que chaque poche contient : un ticket de métro inutilisable, un papier de la banque, une facture de la station-service... Elle plonge la main, son cœur bat, que va-t-elle trouver?

Lorsqu'elle était petite, une fois par an, à la fête du village, on remplissait un grand tonneau de son et les enfants s'amusaient à y chercher de menus objets; c'était le jeu préféré de Camille : un jour elle trouverait un diamant ou une couronne d'or. Ses jambes en tremblent. Cette indiscrétion est devenue une drogue sans laquelle elle ne saurait vivre. Elle doit tenir secrète chaque découverte sinon François se méfierait.

Ce qu'elle trouve la fait souffrir physiquement : elle a des nausées, des vertiges, des faiblesses.

Elle sait beaucoup de choses maintenant sur l'Américaine : son nom, son adresse, sa taille, la couleur de ses yeux et de ses cheveux, son métier. Il y a une photo dans une grande enveloppe jaune que Camille sort et regarde longuement lorsqu'elle n'a rien trouvé de satisfaisant. Elle ne pense pas que cette fille soit belle et cela la torture. Elle aurait aimé découvrir une Brigitte Bardot qui aurait tout expliqué, tout fait passer, à cause de sa beauté. Au lieu de cela elle détaille un visage plutôt ingrat, un peu osseux, un sourire qui découvre les gencives, des yeux petits et enfoncés avec une bonne expression. Il faut voir les choses comme elles sont : l'Américaine est moche.

Pourquoi Camille ne veut-elle pas accepter

que cette femme ait un visage sans intérêt? Elle la fait évoluer, elle imagine que ses gestes sont beaux, que son corps est beau : jeune et brun et lisse.

L'Américaine est toujours vêtue de voiles et elle se déplace avec souplesse dans la maison de Camille, elle a des mouvements de danseuse, elle sourit sans cesse et ses gencives, qui apparaissent, roses, sont attendrissantes. Camille l'étudie et essaie de l'imiter. François dit :

« Mais qu'est-ce que tu as à te dandiner comme ça et à te regarder dans la glace?

— Je ne me dandine pas, je ne me regarde pas dans la glace. Tu crois en voir une autre peut-être. Moi je suis Camille, mets-toi bien ça dans la tête.

— Je ne comprends pas ce que tu veux dire.

— Ce n'est pourtant pas difficile à comprendre. »

Il hausse les épaules, il reprend sa lecture : il ne sait rien de ce qui se passe en Camille, il n'en a pas la moindre idée. L'histoire pour lui est exactement telle qu'il l'a expliquée. Il a vécu quelque temps avec une très gentille fille qui s'est trouvée enceinte et qui veut garder l'enfant en souvenir de leur aventure. Elle l'aime. Il n'y peut rien. C'est tout. Il a la conscience tranquille puisque, honnêtement, il en a parlé à sa femme. Il n'en a jamais plus été question entre eux. Il croit qu'elle n'en pense rien, qu'elle a oublié l'histoire.

Les lettres, lorsqu'il y en a, excitent Camille intensément. D'abord, elles sont longues : cinq ou six feuillets à chaque fois. Il faut donc qu'elle ait le temps de les lire. Elle doit les subtiliser, les cacher et attendre le moment propice : une absence de François. Il est en vacances, il traîne, lit, travaille à son bureau. Il faut qu'elle soit seule pour bien profiter de sa lecture. La lettre l'attire, elle va la regarder dans sa cachette, la sort, la met dans son soutien-gorge, elle la sent, l'entend craquer un peu. Elle vient en face de François avec la lettre de l'autre sur elle.

« Tu ne voudrais pas aller chercher du pain?

— Envoie un des enfants.

— Ils sont à la piscine.

— Eh bien alors tout à l'heure, quand j'aurai fini ça. Mais pourquoi n'y vas-tu pas? Tu ne sors jamais.

— Je n'aime pas sortir, je suis bien chez moi. Si ça te dérange trop, j'irai.

— Il fut un temps où tu n'avais qu'une idée : sortir de la maison. Qu'est-ce qu'ils sont devenus tes amis peintres. C'est avec eux que tu faisais tes frasques? »

Il rit très fort et la prend par la taille.

« Laisse-moi. Je ne sais pas ce qu'ils sont devenus. Alors tu vas ou non chercher le pain.

— J'irai tout à l'heure. Tu aurais dû garder Maria. »

Camille ne répond pas. Elle n'a pas voulu garder Maria parce qu'elle ne voulait plus avoir aucun témoin du passé. Elle souhaitait commencer une existence toute neuve avec son mari. Elle ne peut pas dire ça. François ne comprendrait pas.

Les lettres sont douces, amoureuses, intimes. Jamais il n'y est question de la femme de François — comme si elle n'existait pas, comme si elle était morte — l'Américaine parle de son état, de son travail, de son amour. Pas une plainte, pas une tristesse. Pourtant, elle le dit, François ne lui écrit pas, ne répond pas à ses lettres. Les conclusions surtout font transpirer Camille et la retiennent. Elle les relit plusieurs fois. C'est l'instant de la séparation, on se touche, on s'embrasse, on pense au revoir, on laisse échapper un petit gémissement; la passion se montre.

La tête de Camille est pleine à craquer des phrases de l'Américaine. Parfois elle en laisse échapper une tout entière. François ne s'en rend pas compte, il a dû la lire distraitement, un peu gêné, un peu agacé, un peu attendri. C'est le sultan et son harem se conduit comme d'habitude. Ah les femmes! L'Américaine est la sœur de Camille.

Elle voudrait l'initier à l'enfantement. Mettre au monde les enfants de François c'était sa spécialité jusqu'à maintenant. Il faudrait qu'elle fasse profiter l'autre de son expérience. Un quatrième enfant de François qui naîtra luisant et remuant comme un poisson hors de l'eau. Elle le sent qui bouge dans son ventre. Est-ce que ce sera une fille ou un garçon? Sans cesse, elle se pose cette question et elle y trouve une solution qui ne vaut que pour quelques instants. Aura-t-il les yeux clairs? Ce sera un garçon avec les yeux foncés et bons de sa mère. Elle le voit qui trottine dans un jardin public.

Plus la grossesse avance, plus Camille s'active dans la maison. Il faut cirer, briquer, que la maison soit bien propre pour l'arrivée du bébé. Le ventre de Camille pèse. L'Américaine reste allongée sur le divan du salon durant de longues heures. Son pauvre visage est tiré, ses yeux sont cernés et son joli corps souple s'est alourdi. Le ventre de Camille pèse.

« Et si nous l'élevions?

— Qui?

— L'enfant que tu as fait là-bas.

— Qu'est-ce qui te prend? Je croyais que tu n'y pensais pas.

— J'y pense de temps en temps.

— Elle ne va pas garder un enfant neuf mois dans son ventre pour nous le donner à élever ensuite.

— Elle pourrait le voir quand elle voudrait.

— Elle habite à six mille kilomètres d'ici. Ça ne tient pas debout ton histoire. Tu imagines les complications? Cette affaire ne te regarde pas, ne t'en occupes pas. »

La chose est entendue, on n'en reparlera plus.

Sans savoir pourquoi, Camille se met à saigner du nez : de gros flots tièdes qui coulent jusque sur ses lèvres. Elle reste sur son lit avec un mouchoir taché de sang tamponné contre son visage.

« Tu dois voir un médecin.

— Mon médecin est en vacances.

— Prends-en un autre. »

L'autre médecin ne comprend rien. Il la prend pour une simulatrice et lui conseille de s'occuper plus.

Alain est revenu de Grèce. Camille l'a rencontré une fois. Elle lui a dit qu'elle ne veut plus le revoir et qu'elle ne reprendra plus jamais son travail.

Les enfants sont rentrés en classe. François a repris régulièrement son activité. Camille reste seule tout le jour avec l'Américaine.

L'automne est venu. Les arbres, petit à petit, perdent leurs feuilles. Les platanes de l'avenue découvrent une profusion de petites boules brunes qui pendent deux par deux, ce sont les tristes cerises du mauvais temps se balançant sous la pluie.

La grossesse est longue, lente. Il semble à Camille qu'il y a des années que cet enfant doit naître. Sans cesse elle refait les calculs. Encore trois mois à attendre. Cette pauvre Américaine avec son bâtard, comme elle est maussade. Elle demande à François de reconnaître l'enfant, il dit non.

Camille se remet à saigner du nez. Elle grossit.

Elle parle beaucoup avec la femme enceinte, elle lui prépare de bons petits plats. C'est agréable : toutes les deux dans la cuisine à déjeuner et puis après elles allument la télévision et regardent le journal de 13 heures. Elles bavardent comme des pies jusqu'au retour des enfants. C'est ennuyeux d'interrompre une conversation passionnante où il est question de layette, d'accouchement, d'hommes, alors Camille continue à voix basse. Elle marmonne. C'est venu tout doucement, maintenant elle marmonne sans arrêt.

François met, un jour, les pieds dans le plat :

« A qui parles-tu?

— Moi? mais à personne. A moi-même peut-être.

— On aurait dit que tu parlais à un bébé.

— Alors, c'est que je deviens folle.

— Camille, qu'est-ce qui se passe? Tu as changé.

— J'ai changé?

— Dis-moi ce qui ne va pas.

— Mais, tout va très bien. »

Elle est flambée! Tout le monde va découvrir qu'elle a caché l'Américaine à la maison. Elle ne peut plus la garder. Il faut qu'elle la chasse.

Camille explique à l'Américaine qui est François, elle tâche de la consoler, elle lui parle gentiment. François est fort et intelligent, les histoires de bonnes femmes ne l'intéressent pas. Il aimait le courage de l'Américaine quand elle voulait garder son enfant seule comme un vaillant petit soldat. Maintenant que l'Américaine pleurniche, elle n'a plus aucun attrait. François ne se noie pas dans les détails, il s'attache à l'essentiel, c'est pour cela qu'il a l'air d'être inhumain, mais il ne l'est pas, au contraire, il est sage, il veut que l'on donne le meilleur de soi-même, il n'admet pas la faiblesse. François n'appartient à personne, il s'appartient à lui-même.

L'Américaine est inconsolable, elle s'en va avec ses mousselines, ses pas glissants, sa tendresse et son gros ventre.

Camille pleure.

A compter de ce jour, sa vie n'a plus de valeur. C'est simple : si elle n'a pas su garder la femme enceinte à la maison, c'est qu'elle n'est bonne à rien.

Durant plusieurs semaines elle resta prostrée. Une seule chose était claire : François ne voulait pas de l'amour qu'elle désirait lui donner. Il avait besoin d'une épouse-servante, quelqu'un de pratique et de confortable. Elle s'imaginait que sans l'amour de son mari elle n'avait aucune raison de vivre. L'avenir de ses enfants ne l'intéressait pas. Elle se demandait comment elle avait pu élever, en partie, son frère et ses sœurs. Elle se nourrissait de son échec, de sa peine. Elle égrenait sans cesse le chapelet de ses mauvais souvenirs, de ses efforts inutiles, de son sort injuste.

François et les enfants marchaient sur la pointe des pieds, se débrouillaient seuls, ne faisaient rien pour la contrarier ou la déranger. Elle était de nouveau malade, inabordable, incapable de se mêler à la vie des autres.

Un dimanche de soleil, ils partirent tous les quatre. Camille avait entendu les préparatifs de pique-nique. Vers 11 heures du matin, la porte claqua. Elle sortit de sa chambre, erra dans la maison et soudain s'irrita contre eux : pourquoi l'avaient-ils laissée seule? Dans le salon, il y avait une belle lumière, elle s'approcha des fenêtres : c'était le printemps! Elle ne le savait pas, on ne l'avait pas prévenue, on ne lui disait rien. Pourquoi ne pouvait-elle participer à leur pique-nique? Ils essayaient de l'effacer, de la supprimer. François était un monstre, il voulait l'abandonner comme il avait abandonné l'Américaine. Elle ouvrit la fenêtre et se pencha pour regarder la rue. C'était la foule dominicale avec des paquets pointus de pâtisserie, de beaux costumes et de belles robes, cet après-midi ils iraient canoter sur le lac du bois de Boulogne ou bien joueraient un peu aux courses à Auteuil ou bien se promèneraient dans leur voiture. Pourquoi pas elle? Pourquoi?

Camille se révolte, elle considère avec horreur les mois qui viennent de s'écouler. Il ne lui vient pas à l'idée de s'en prendre à elle-même, elle accuse François et l'Américaine. Elle en a assez de toute cette comédie. Elle s'en sortira, il n'y a pas de raison pour qu'elle ne s'en sorte pas. Les autres y arrivent, pourquoi pas elle? Elle veut vivre, rire, profiter du soleil; elle veut sa part du gâteau.

La solution est venue subitement. Pourquoi n'y avait-elle pas pensé plus tôt? Ce sont souvent les idées les plus simples qui font défaut. Comme c'est facile!

Elle s'installe dans un fauteuil pour mieux profiter du moment, elle décroche le téléphone, compose le numéro.

— Allô Alain! C'est Camille à l'appareil.

— ...

— Je veux te voir le plus vite possible.

— ...

— Non, je ne suis pas malade mais il faut absolument que je te voie.

— ...

— Ce soir, demain, dès que ce sera possible.

— ...

— Oui, demain après-midi, chez toi, vers 3 heures. »

Elle aurait préféré que ce fût tout de suite, elle est déçue, mais d'autre part, elle pense qu'elle va avoir le temps de se préparer. Il y a si longtemps qu'elle ne s'est pas occupée d'elle. D'abord prendre un bain puis se laver les cheveux, enfin chercher dans l'armoire de quoi s'habiller : un tailleur? une robe? une jupe? Elle avait perdu l'habitude de se regarder dans une glace. Elle n'est pas si mal!

Elle finit par choisir le tailleur bleu marine, il lui va bien et il est de saison.

La fréquence des aller et retour de l'ascenseur s'impose au beau milieu de son jeu : les gens rentrent, « ils » vont rentrer. Elle range tout et se renferme dans sa chambre. Peu de temps après François ouvre la porte avec précaution.

« Tu t'es bien reposée, ça va?

— Ça va. Comme d'habitude. »

Le lendemain, dans la rue, la tête lui tourne. Il y a si longtemps qu'elle n'était pas sortie, qu'elle n'avait pas mis les pieds dans un magasin. Elle est heureuse comme une adolescente. Elle arrivera chez Alain, elle se jettera dans ses bras, elle lui racontera comment François l'a fait souffrir, elle lui dira qu'elle reste avec lui pour toujours et, le soir, elle téléphonera chez elle pour annoncer sa décision. Enfin être heureuse, enfin quelqu'un qui l'aime pour elle-même, comme elle est. « Alain, je t'aimerai. Alain, je te ferai rire. Alain, je te donnerai des enfants. Alain, nous irons encore nager en Espagne, Alain, nous ferons l'amour. » Alain la bercerait, la consolerait, la trouverait belle et intelligente. Alain lui fera confiance et l'écoutera, il s'occupera d'elle, il lui sera fidèle.

Elle est fébrile, elle refait trois fois son chignon, elle attend avec impatience qu'il soit 3 heures. Elle veut arriver un peu en retard, s'il est allé sur un chantier en banlieue il risque de n'être pas là à l'heure et elle ne veut pas attendre sur le palier. Il faut qu'il ait le temps de se reposer. Il ouvrira la porte, il la prendra contre elle. Elle pleurera, elle expiquera tout.

Le chauffeur du taxi est bavard, il la fait rire. Alain habite de l'autre côté de Paris. Elle trouve que la ville est gaie, vivante, belle. Avec Alain, elle va recommencer à s'intéresser aux arbres, aux maisons, aux gens, aux formes, aux couleurs. Ils iront en Italie, elle n'est jamais allée à Florence.

« Ça fait huit francs soixante-dix. »

Elle donne dix francs :

« Gardez la monnaie.

— Merci bien, ma p'tite dame. »

L'atelier d'Alain est dans une ruelle calme. Elle se presse tellement qu'elle tord ses talons entre les pavés. Elle a le souffle court. Pourvu que son nez ne brille pas. Elle sonne. Elle entend des pas et la porte s'ouvre. Alain est pâle, plus mince qu'avant. Il la regarde gentiment.

« Bonjour Camille. »

Elle est tellement essoufflée qu'elle ne trouve rien à dire tout de suite.

« Tu as couru?

— J'avais peur d'être en retard. »

Il sourit et la fait entrer dans la grande pièce bien rangée et baignée par la lumière froide et précise des ateliers.

« Que se passe-t-il? »

Elle ne sait pas par où commencer. Elle ne s'attendait pas à trouver Alain comme cela, il lui semble fade, ses cheveux ne grisonneront pas comme ceux de François, ça se sent. Elle se jette à l'eau.

« Voilà : je ne peux plus tenir, je ne veux plus vivre avec François, il me rend folle, il me traite mal.

— Tu fais un caprice. Rappelle-toi comme tu désirais son retour.

— Oui, je me rappelle, je me suis trompée. Je n'en peux plus. Aide-moi.

— Que puis-je faire pour t'aider? »

Elle se lève, Alain est debout devant sa table à dessin, il la regarde venir. Pourquoi ne la prend-il pas dans ses bras? Pourquoi est-il triste? Elle reste en face de lui. Elle ne retrouve plus l'élan qui l'a menée jusque-là.

« Je veux rester avec toi, je veux que tu m'aimes, je veux que tu me consoles, je veux que tu t'occupes de moi. Je te servirai, je t'aimerai, je m'occuperai de toi. Je le veux, je le veux. Nous retournerons en Espagne, nous irons à Florence. Nous serons heureux. »

Il est gêné, il a baissé les yeux et il ne répond pas.

« Pourquoi ne dis-tu rien!

— Je m'attendais si peu à cette sortie. »

Il appelle cela une sortie! Il se met à parler comme François! Elle est surprise parce qu'elle était sûre d'Alain et de son amour. Elle ne s'attendait pas à ce qu'il réagisse si lentement. Lui qui la suppliait de venir vivre avec lui!

« Tu ne peux pas me laisser où je suis, tu ne peux pas m'abandonner. Je ferai l'amour autant de fois que tu le voudras, je ne te dérangerai pas, je te soignerai, je ne me plaindrai jamais.

— Camille, tais-toi! Reprends-toi!

— Mais pourquoi? Pourquoi?

— D'abord assieds-toi et calme-toi. Ensuite je t'expliquerai. »

Il est là, planté devant elle, contrarié, embarrassé de lui-même. On sent qu'il aimerait être ailleurs, que cette situation l'ennuie.

« J'ai d'abord été malheureux sans toi. Puis, je me suis rendu compte que je n'aurais pas été heureux avec toi ni toi heureuse avec moi.

— Pourquoi?

— Parce que tu es très exigeante et aussi parce que tu vis dans le mensonge. Tu n'es pas honnête avec toi-même, tu joues une espèce de comédie, tu n'admets pas que tu es autoritaire et égoïste et... exigeante, je ne trouve pas d'autres mots. Alors, pour satisfaire tes besoins, dont tu as honte je ne sais pas pourquoi, tu as recours à des procédés déplaisants.

— Quels procédés?

— La maladie, le chantage, la faiblesse, l'irresponsabilité. »

Camille reçoit les coups et se recroqueville, sa tête est lourde et bourdonnante.

« Je ferai des efforts, je changerai, je te le promets.

— Je ne pense pas que tu y parviennes. D'autre part, j'ai rencontré une femme qui fait le même métier que moi et que j'admire beaucoup. Je ne suis pas amoureux d'elle comme j'étais amoureux de toi, mais je veux l'épouser. J'ai besoin d'elle, elle est douce et paisible. »

Camille parle tout haut comme dans certains rêves :

« Il y a une heure j'étais heureuse, maintenant je suis au bout de la détresse. Comme la vie est compliquée. Je ne suis pas faite pour ça. J'étais une enfant heureuse, j'étais une jeune fille robuste. »

En rentrant chez elle, elle a la tête pleine de vieux souvenirs, elle se revoit sur les chemins du Var donnant la main à son père, avec toute la vie devant elle. Au retour de la promenade les crapauds du jardin coassaient régulièrement.

Elle ne craint pas la mort, au contraire, c'est la seule chose qui existe, la seule chose logique et explicable. Les autres fuient la mort, l'évitent, ont peur d'elle, et leur comportement, de ce fait, rend tout absurde. Camille ne peut plus vivre avec eux. Il faut qu'elle disparaisse.

Elle attend le samedi puisque François rentre, ce jour-là, avant les enfants. Elle fait le ménage en grand, elle se lave et met son tailleur de voyage en tweed, elle ferme les volets.

La mort est son refuge et puis, mourir c'est dormir, se reposer, n'avoir plus de responsabilités.

Elle s'allonge sur son lit et avale tout un flacon de barbituriques.

Pour commencer, les comprimés deux par deux, avec une gorgée d'eau. Le poison laboure la gorge et forme des sillons qui s'arrêtent net au milieu du cou. Elle boit de l'eau pour tout faire descendre, l'eau passe sans s'arrêter. Cette boule qui l'étouffe ce n'est qu'une sensation produite par le frottement des comprimés, elle n'existe pas réellement. Camille continue à absorber ses comprimés un à un. Elle se lève avec son verre dans une main et une poignée de pilules de l'autre côté. Elle erre dans le salon, elle ne veut pas aller dans les chambres des enfants. Elle se raffermit dans sa décision en pensant que sa disparition serait bonne pour eux aussi. Elle est trop instable, trop nerveuse, elle les élève mal.

Elle retourne dans sa chambre et elle se couche parce que son cœur commence à battre, mais à battre, mes enfants! Comme un fou.

« Vite, que ce soit vite fait, je ne veux pas faire machine arrière, je ne veux pas penser à certaines choses. » Le cœur continue à battre et résonne dans le fond du navire qui s'est mis à flotter.

Camille est une femme à l'esprit curieux, au rythme à la fois lent et violent, elle est gaie, elle aime ne rien faire ou bien danser.

« Qui est cette dame étendue sur un lit vêtue d'un costume de tweed avec des chaussures de marche bien cirées aux pieds?

— Mais c'est Camille, c'est Mme Dubreuil!

— Ce n'est pas possible.

— Mais si, mais si, elle n'est pas légère, elle est lourde, elle n'est pas gaie, elle est triste.

— Mais alors elle est malade?

— Non, non, elle n'est pas malade, elle est punie.

— Punie! Mais qu'a-t-elle fait?

— Elle a menti.

— Menti! Mais, menti comment?

— Menti à elle-même depuis longtemps, depuis si longtemps qu'elle ne sait même plus qu'elle a menti. Elle prend la vraie Camille, celle qui rêve et qui flâne, pour une folle, elle veut se séparer d'elle.

— Comme c'est amusant, c'est à mourir de rire.

— Elle a avalé du poison.

— Mais pourquoi ne cesse-t-elle pas de mentir?

— Parce qu'elle ne peut plus, elle ne sait plus, elle croit qu'il n'y a que les autres qui mentent, uniquement les autres. Elle est perdue depuis longtemps.

— Mais alors le soleil, la mer, la joie de nager, les soirées tièdes, le rire, la musique, les mains qui caressent?

— Elle abandonne tout, elle ne sait plus s'en servir.

— Comme c'est drôle, c'est ridicule, c'est enfantin. »

Camille remue, elle veut aller se faire vomir ou téléphoner, ou crier. Elle s'efforce, elle tourne la tête. Elle dort la bouche ouverte avec un peu de salive au coin des lèvres. Elle a rencontré les cavaliers qui ferraillent dans la forêt, elle tourne avec eux de plus en plus vite, les mendiants de Goya lui tiennent la main, ils rient.

Dansons la Carmagnole
Y'a pas de pain chez nous...

La ronde s'enlise dans la boue,

Pour être belle il faut souffrir,

ils peinent pour lever les pieds,

Et introïbo ad altare dei, ad deum qui laetificat juventutem meam.

Les cavaliers croisent le fer avec une ardeur redoublée.
Camille est-elle en train de ronfler ou de râler?

Quelques mois après l'enterrement de sa femme, François épousa l'Américaine et ils vécurent, apparemment, très heureux.

IMPRIMÉ EN FRANCE PAR BRODARD ET TAUPIN
7, bd Romain-Rolland - Montrouge.
Usine de La Flèche, le 05-01-1984.
1650-5 - N° d'Editeur 1386, 3e trimestre 1978.